Gracias a la Gente

Susana Alexander, además de actriz, es una extraordinaria lectora y difusora de la poesía contemporánea. En lo particular, se ha dedicado a leer, tanto en televisión como en la radio, poemas de escritores con más talento que fama, textos cuya lírica, estética y sensibilidad producen en el auditorio recuerdos y emociones insospechadas. En este libro, Susana se dio a la tarea de reunir a autores de todas las entidades y rincones del país. Esta labor tiene como único interés ofrecer los textos que han emocionado a sus televidentes y radioescuchas. Su clasificación reúne poemas de amor, desamor, al Señor, a la madre, a los familiares y feministas.

De acuerdo con un clásico de la literatura universal, la misión del poeta es dotar a los pueblos jóvenes de un caudal suplementario de belleza. Susana Alexander cumple en esta obra con este sino.

Susana Alexander

Gracias a la Gente

Mier y Pesado 128 Tels. 543 70 16 - 682 57 17
Col. Del Valle 536 30 31
México 03100, D. F. Fax: 682 06 40

GRACIAS A LA GENTE

Diseño de portada: Antonio Ruano
Fotografía de portada: Jorge Contreras Chacel

Copyright © 1996, Selector, S.A. de C.V.
Derechos exclusivos de edición reservados para el mundo

ISBN: 968-403-979-4

Primera reimpresión: Febrero de 1997

Características tipográficas aseguradas conforme a la ley.
Prohibida la reproducción parcial o total de la obra
sin autorización de los editores.
Impreso y encuadernado en México.
Printed and bound in Mexico.

Prólogo

Quienes hemos enviado alguna ocasión nuestros pensamientos y sentimientos convertidos en poesía, las vivencias se transforman en música al escucharlos por usted. Es como si los sentimientos recobraran vida y actualidad con los recuerdos.

Ha permitido que las inquietudes, las vivencias de infinidad de personas afloren a la luz, porque no hay tantos espacios ni tantas oportunidades como las que se requieren en una ciudad tan importante como la nuestra.

A todos quienes hemos participado nos ha quedado ese sabor de satisfacción que estoy segura no se olvidará nunca.

Gracias nuevamente por sus espacios.

¡Enhorabuena y adelante!

CECILIA SALINAS NÁPOLES
Guadalajara, Jalisco

Quisiera contar la historia de esta antología, porque tal vez dentro de muchos años, en una librería de libros de viejo, caiga en manos de un lector que no sabrá quienes éramos y le pueda interesar esta historia. A él, y a usted, les dedico este libro.

En 1979 comenzamos a hacer giras por toda la República Mexicana auspiciadas por la Secretaría de Educación Pública. Trabajábamos principalmente en escuelas Normales y en escuelas de nivel medio superior y superior. También nos presentábamos en Casas de la Cultura de los diferentes poblados y ciudades. Durante todo ese "peregrinaje cultural" fuimos creando una relación estrecha con la gente de las comunidades ante las que nos presentábamos. Esto dio como resultado una atmósfera de confianza que permitió a la gente acercarse a nosotros y entregarnos, alguna veces, sus poemarios, otras veces una hoja de papel con un poema escrito a mano, y ¡hasta en una servilleta de papel cuando las "musas de la inspiración" bajaban a visitarlos!

Así fuimos recogiendo y guardando todo ese material que me era entregado por la gente de mi país con el fin de compartir conmigo sus ideas, sus sentimientos más íntimos, sus miedos y sus dudas. Después de todo, eso es lo que abarca la poesía: el sentir y el pensar del ser humano.

Finalmente en 1990, once años después, decidí hacer un espectáculo con todo ese valioso material al que llamé *Gracias a la gente*, porque era gracias a la gente de mi país que ese espectáculo existía. Posteriormente hice un cassette con el material seleccionado para el espectáculo y le puse el mismo título: *Gracias a la gente*.

Durante todo este tiempo yo trataba de impulsar el material poético que iba recibiendo a través de mis presentaciones en el programa "Para gente grande" que producía y conducía el señor Ricardo Rocha. Después traté de venderle la idea a otros productores de televisión haciéndoles ver que la gente de nuestro país es poeta "de nacimiento" y que era importante abrirles un espacio para que fluyera ese caudal de emociones que surgía de sus corazones. Era también una manera hermosa de unir a todos los habitantes de un mismo país y de decirles que ellos son importantes para la gente que hace la televisión en México.

Finalmente en 1994, un hombre con visión y sensibilidad, el señor Guillermo Ortega Ruiz, me abrió la puerta de su noticiero *Al despertar* y conmigo entraron todos los poetas "anónimos" de México.

Desde ese momento no he dejado de recibir poemas de todos los rincones de la República Mexicana. Algunos en forma de libros editados por los propios autores, o fotocopias engargoladas, poemas escritos a mano, o en máquina, y algunos hasta con dibujos y figuras recortadas. Todos ellos con un común denominador: la pasión; todos expresan las pasiones, las tristezas y alegrías, los sentimientos místicos, las reflexiones nacionalistas y ecológicas y el amor por la vida del pueblo mexicano.

Hasta aquí la historia de cómo se llega a esta antología. Ahora permítame ponerme más personal y contarle cómo poco a poco, a través de leer los poemas y las cartas que acompañan estos poemas he ido conociendo a mis poetas (yo ya los hice míos). Algunos me cuentan cosas íntimas como María de Lourdes Álvarez Paczka de San Luis Potosí y me pide que yo lea su poema "Me quedaré en ustedes" dirigido a sus hijos, porque ella cada vez que lo intenta se pone a llorar y no lo logra. Una amiga me hace llegar los poemas escritos para ella por su compañero y me pide que sólo lo llame Gildardo de Chiapa de Corzo, Chiapas, sin apellido ni nada más. Una joven estudiante me manda con timidez sus poemas y entablamos una amistad profunda. A ella se le diagnostica a sus 19 años una leucemia terminal: Luz Teresa Sandoval Hernández, de San Jerónimo de Juárez, Guerrero, escribe uno de los poemas más populares que he dicho por la televisión y que cuando hago mis presentaciones personales siempre tiene gran éxito: "Un poema diferente" dedicado a su madre. Otra de mis poetas "estelares" es doña Rosina Guerrero de Alvarado, de la Comarca Lagunera. Hice mi primer contacto con ella en 1991 a raíz de la presentación de mi espectáculo *Gracias a la gente* en la ciudad de Torreón. Desde entonces soy su admiradora y me lleno de "gloria" (ajena) cada vez que leo su poema "Ama de casa" y otros que con su estilo directo y apasionado siempre gustan a la gente. Una poeta que conocí subiendo las escaleras del restaurante a donde iba yo a hacer uno de mis "desayunos poéticos" y que me llenó de emoción conocerla en "carne y hueso" es doña Anna Pérez de Béjar. A ella le agradezco que haya escrito lo que yo quería decirle a mi hijo: "Cuéntale" es un poema dirigido al hijo y a la futura ¡nuera! También "Dímelo así", "Agua mansa" (ella dice que me lo escribió a mí) y su preferido "Quiero decirte". Yolanda Paredes escribe un poema que llega a mis manos el día de la muerte de mi madre: "Gracias" se titula y yo le doy las gracias a ella por escribir lo que yo necesitaba escuchar en ese momento. Don Arturo Villalobos Sandoval me envía sus poemas "Separación" y "Nuestro amor" y en eso mismo se convierte nuestra relación, ya que yo le llamé por teléfono al número que me puso en su carta y entablamos una amistad y una relación que me honra. Don Arturo acaba de cumplir 89 años y es muy querido y respetado por la gente de Tepic, Nayarit y por sus alumnos a los que ha enseñado a amar la pintura y los colores de la vida. Eva Schcolnik, de La Paz, Baja California Sur, me hace llegar un día su poemario a través de su hija y desde entonces nos convertimos en amigas. Regularmente recibo cartas suyas (que yo admito mi culpa, no he contestado) donde me cuenta de su vida e inquietudes. Ella es un ser agradecido y sensible a todo lo que le rodea, y escribe "Señor, estoy tan agradecida". A través de mi doctora me llegan los poemas de su suegra Elsa Parrao Enrile. Yo los leo un poco por darle un gusto a mi doctora y para mi grata sorpresa me encuentro con una mujer que tiene un lenguaje profundo y honesto: "Un Cristo que sonría" y su poema "Hijo" son una muestra de ello. Una joven poeta, Patricia Méndez Tornell me lleva su libro hasta el teatro donde yo me estaba presentando, del que yo selecciono varios de sus poemas con los que me identifico "De madre a hijo", "Gracias Señor" y "Soy una mujer como cualquier otra".

En este año de 1996, durante mis giras por el país he podido conocer personalmente a varios de mis poetas. El doctor Efraín Aranda Torres, de León Guanajuato, autor de "Ser abuela", vino a verme con toda su familia incluida su mujer, ¡la abuela del poema! En Ensenada, Baja California, conozco al profesor Luis Pavía, autor de un poemario llamado "Nadie es poeta en su tierra" (¡cuánta razón tiene!) y yo escogí de entre tantos buenos poemas "Amo, luego existo". Edmundo López Díaz se acerca a mí a la salida de Televisa Chapultepec y me aborda con gran humildad diciéndome que el es el autor de varios poemas que he leído en el programa *Al despertar* entre ellos "Hoy empiezo a deshojar en mi mente" "¿Por qué te amo?" y otros muy bien escritos. Me cuenta que decidió dejar toda otra actividad y arriesgarse a vivir sólo de su oficio de poeta. Así que va por Querétaro vendiendo sus libros de poemas y ¡llenando de poesía la vida de los queretanos! Don Francisco Ibarra Domínguez, que vive en Ciudad Juárez, Chihuahua, hace todo ¡a lo grande! Recuerdo que cuando recibí su poemario lo pensé dos veces antes de empezar a leerlo, ¡porque era muy extenso! Asimismo de grande son sus muestras de afecto por mí cada vez que me presento en esa ciudad, ya que ¡me llena de flores el camerino! y es que él y yo somos como su poema "Uno para el otro"! Marcela Lamothe Márques se convierte en la anfitriona ideal cuando me presento en Córdoba, Veracruz, vecina ciudad de Fortín de las Flores donde ella vive y este contacto personal nos permite entablar una hermosa amistad y un intercambio de confidencias "femeninas". De ella seleccioné para esta antología las dos cosas que caracterizan a su poesía: el reencuentro y revaloración de sí misma y su profundo amor a Dios: "Yo sé que vivo porque lucho" y "Lo vi pasar" son un claro ejemplo. A José Luis Almada, cantautor (como ahora se les llama) lo conozco en Querétaro y me obsequia varias de sus composiciones que él canta y que yo sólo digo, sin embargo, no por eso pierden su belleza y profundidad: "Eso de querer vivir" y "Contra la soledad" forman parte de su obra. A Patricia Calvillo, de Saltillo, Coahuila, la conozco gracias a que su hermana me envía en forma secreta sus poemas y resulta que uno de ellos se transforma en uno de los más solicitados por el público femenino: "Una mujer". Después la conozco personalmente y me hace obsequio de un pequeño poemario donde muestra, una vez más, su preocupación y su solidaridad con el género femenino.

Hay amigos de los que yo desconocía su quehacer poético: Carlos López Moctezuma yo sabía que era un buen abogado pero no sabía que era un magnífico poeta lleno de imágenes, dramatismo y también humor. Los dos poemas seleccionados "Escuela de la vida" y "Muñeca india" son una pequeña muestra de su obra. A Elia Vargas Sastré la conocía yo como dramaturga, y un día me sorprendió haciéndome llegar sus poemas. Poesía apasionada, de encuentros y desencuentros amorosos como "El amor viene de lejos", "Construcción" y "¿Por dónde llegaste?" A la señora Alicia Montoya la conozco desde pequeña, siempre como actriz, hemos trabajado juntas en obras teatrales y en la televisión, pero nunca pude imaginar que escribiera con tanta profundidad y comprensión del alma humana, y prueba de ello es que el día que dije su poema "Qué es un hijo" en la televisión, los teléfonos no dejaron de repiquetear solicitando una copia del mismo.

A otros poetas los conozco porque utilicé su material poético en el espectáculo *Gracias a la gente*. Eduardo Sastrías con su poema "Pienso en ti" me permitía hablar del amor. Rosa María Pedraza, de Culiacán, Sinaloa, con el fragmento de su libro *Cartas a Radován*, "El mundo se me ha poblado de adioses", y el maravilloso "Triduo del Adiós" de Alicia María Uzcanga Lavalle, de Puebla, Puebla, me ayudaron a llorar el desgarramiento que produce el final de una historia de amor.

Hay varios poetas que me han dado sus poemas de manera anónima o utilizando un seudónimo. Renée Lasso Ricot, por ejemplo, me hace llegar sus poemas "Amor, Amistad" y "Desamor" en un sobre misterioso. El poema "Almohada" me es entregado por una señorita que me dice que sólo quiere que diga que ¡ella es una enamorada del joven Heriberto Murrieta! Antonia Robles Aragón me regala su libro de poemas a la entrada de Televisa y también unas hermosas arracadas de Oaxaca de donde es oriunda, pero no me da ni su dirección ni seña alguna para poder localizarla; se pierde, como su poema, "En el andén de la bahía". Hilario, así a secas, se acerca a mí después de una presentación en el IPN y me da su pensamiento "Social".

A Alma Rosa Alcántara Mendoza la conozco como directora de la Casa de la Cultura en Huajuapan de León, Oaxaca, pero nunca me habla de su vocación literaria. Años después me encuentra a la salida de una presentación en la ciudad de México y me entrega un poemario engargolado con poemas suyos. Son poemas maduros, con ritmo e imágenes precisas que vuelan directamente al corazón del lector: "Te necesito" y "Trato" son dos de sus bellos poemas. Anabella Cassale ahora reside en Aguascalientes, me impresionó a través de su libro de poesía. Una mujer siempre activa, positiva, con sentido del humor, que está casada con un hombre que es el absoluto reverso de la medalla; sin embargo ella lo ama y está todavía empeñada en ¡que él la ame como ella desea ser amada! "Así como soy" y "No me quieras cambiar" nos permiten adentrarnos en esa lucha de amor.

Gracias a los poemas "Un secreto a voces" y "Dime tú", de Rodolfo Naro, de Guadalajara, Jalisco, pude "romper el formalismo" con el señor Guillermo Ortega e iniciar abiertamente mi flirteo con él. ¡Tal vez a otras personas también puedan servirles como a mí!

Y también es de Guadalajara, Jalisco, Rosa María Hill, a quien no conozco pero que aporta a esta antología dos poemas que son muy populares en mis recitales: "Para matar un amor" y "Hoy es el último día del año".

Patricia Martínez Romaní me hace llegar un libro que ella explica que pensaba destruir, pero ¡menos mal que se arrepintió! Cada vez que algún poeta me pregunta qué debe hacer para publicar su poesía le cuento la experiencia de Patricia Martínez, y le quiero decir que yo pensaba hacer lo mismo, sólo que Selector me ofreció publicar esta antología y por eso no la publiqué yo personalmente siguiendo el ejemplo de Patricia y su "Crónica de un desamor". El Licenciado Alfredo Borboa Reyes, de Temascaltepec, Estado de México, y el señor Ricardo García Olivares, que vive en Juriquilla, Querétaro, fueron los poetas que más éxito tuvieron durante una gira que hice por las plataformas petroleras: "Pregón Alucinante" y "Hoy he hablado por todos" me permitieron entablar una comunicación inmediata con estos heroicos petroleros que se identificaban con el sentir de estos dos poetas. Y ya que de identificación se trata, desde hace muchos años uno de mis "caballitos de batalla", como se suele llamar a un texto que siempre tiene éxito, debo mencionar el poema de Rosa Elvira Álvarez "Prosa para un poema" cuyo subtítulo es: *Dedicado a todas las mujeres del mundo*. ¡Y viera usted cómo reaccionan las mujeres cuando lo escuchan!

A otros poetas no los conozco más que por carta y por su obra, sin embargo al pedirles la autorización para poder publicar sus poemas en esta antología todos respondieron con gran afecto a mi llamado y yo no tengo con qué agradecerles su calidez y cariño.

Los poetas de México son infinitos. Desde todos los rincones del país me llegan sus poemas y su anhelo de ser leídos en el espacio que tenemos en la televisión. Algunas veces, después de haber leído sus poemas, los poetas se convierten en el centro de atención de su sociedad, al haber sido reconocidos públicamente en la televisión a través de la lectura de uno de sus poemas. Otras veces hemos ayudado a alguien que estaba en el hospital y que cuando oyó su poema olvidó hasta sus dolencias. También al escuchar un poema hay gente que nos ha dicho que le ayudó a reconciliarse con la vida, a olvidar su depresión, a comprender a sus semejantes, a hacerse consciente del mundo que le rodea, y de todo esto me entero porque me escriben contándome lo que les sucedió y yo, le confieso, lloro de emoción al poder hacer algo por la gente, solamente por el hecho de leer los sentimientos y pensamientos de otros seres humanos.

Esta antología, para concluir, nace de la necesidad de reunir esos poemas que han emocionado a la gente, para que puedan hacerlos suyos y los lean cuantas veces quieran, y se los manden a sus amores, y se los lean a sus amigos y amigas, y le sirvan de pretexto para decirle al que los dejó que todavía lo recuerdan y para decirle a nuestra mamá lo que significa para nosotros, y para tratar de entender esta vida de una manera más hermosa y armónica ¡por medio de la POESÍA!

Quiero terminar este prólogo con un poema de Lindy Giacomán Canavati, joven poeta a la que conozco desde hace años, originaria de Monterrey, Nuevo León, y que me lo mandó con la dedicatoria –"Para Susana Alexander de sus amigos poetas"–. Creo que este poema resume perfectamente mi relación con todos los poetas de este libro. ¡Que Dios los bendiga a todos!

Susana Alexander

PARA SUSANA ALEXANDER DE SUS AMIGOS POETAS

I

Ellos no entienden que en las noches
te asalta mi voz, y hacemos los desvelos,
yo le pongo palabras a tus sentimientos
sonido a tu dolor y a tus ideas
y tú a cambio me prestas tu cuerpo, vida y tiempo
para que yo no me muera perdida en el silencio.

II

Tú me prestas tus manos, tu aliento, tu voz
y tus lágrimas para lavar mi dolor
tu garganta para hacer escuchar mi grito ·
a través de tu arte me devuelves la vida.
Tu me prestas tu cuerpo para andar por el mundo
y entre butacas y luces me vas eternizando,
en tu piel me estremezco, respiro, me libero
y a través de tus ojos me miran otros pueblos.
Y no pudo la muerte acallar mis ideas
porque tú las tomaste y venciste barreras
y ahí donde mis labios no pudieron hablar
hablas tú con los tuyos llevándome detrás.
Me prestas tu sudor para darme la vida
y en tus desvelos vivo mientras curas mi herida.
No te des por vencida
si hay butacas vacías, hay oídos abiertos
y tu voz es más fuerte que el mundo de los muertos
tu aliento me da aliento desde donde me encuentro
y siento que mi lucha no fue en vano,
porque tú rescataste de mis manos
del papel, de mi tinta y mis entrañas
el aullido que estaba condenado al olvido.
No dejes que me olviden, que cierren sus oídos
cuando sufras por ello, por los ciegos, los sordos y los mudos
piensa, Susana, siente, como yo te bendigo.

LINDY GIACOMÁN CANAVATI

Poemas de amor

En estas poesías he puesto todo lo que puede expresarse a esos hermosos pensamientos, que es el amor, amor que todos sentimos alguna vez en la vida, pero que muchos no lo expresamos, pues cuando reaccionamos ya es demasiado tarde; pero para demostrar el amor nunca es tarde, se tiene que luchar y perdonar para poder ser feliz.

"DON HECTOR"

ABSOLUTO

Me diste la flor de tus cabellos
la enredadera larga de tu boca,
me diste tus entrañas, una a una,
y me diste tu savia, gota a gota.

Me ofreciste el océano de tu mirada,
me enseñaste la mente desde su profundidad;
me diste lo más íntimo, lo que realmente eras:
tus ansias, tu egoísmo,
tu injusticia, tu verdad.

Me diste tu pasado, tu futuro inseguro...
Te me ofreciste desnudo para empezar a andar.
Iniciaste el presente de un mundo perdido en el tiempo;
tuve todas tus épocas... y nunca tuviste edad...

Me diste la ternura,
me ofreciste la rosa,
fabricaste ilusiones,
me llenaste de paz.

MARGARITA DÍAZ MORA

AMIGO

Dame tu mano y caminemos juntos.
Quiero mostrarte lo que se va en un segundo
Quiero contarte las historias viejas que hacen presente
Aquello que no te dijeron cuando fuiste adolescente
Aquella noche en que reviviste recuerdos siendo hombre.

Dame tu mano y oigamos juntos
Quiero llevarte al viento y al atardecer
Aquello que no bebiste y lo que saboreaste en tu niñez
Aquello por lo que lloraste sin valor alguno.

Dame tu mano; no olvides nuestra existencia unidos

Quiero mirarte a los ojos y que me digas amigo
Aquello que siempre callaste por temor al olvido
Aquello que grita tu existencia y tu pensamiento
Y es así como conducimos la vida.
Tú me llamas amigo; yo te llamo silencio, sentir, cariño, paciencia.
Yo te llamo viento, soledad, perdón.
Yo te llamo, tú me respondes "amigo" por toda la eternidad.

CECILIA SALINAS

AMO, LUEGO EXISTO

En lo más absurdo de su Filosofía,
"pienso, luego existo", afirmó Descartes.
Medito entonces yo sobre la vida,
examino lo que he sido, lo que he visto
y afirmo solamente que amo, luego existo.

Porque mi vida en existir se torna
cuando en mi mente la ilusión anida;
mucho he pensado en el transcurso de mi vida
pero sólo cuando he amado he comprendido
que existo, y pensando sólo he sido.

Ser; se puede ser como una piedra, como el humo,
pero existir, aun sabiendo que se vive, si no se ama,
si no se tiene una ilusión de amor para mañana,
se ha de vagar en fatigoso hastío.
¿Para qué ha de servir esa existencia vana?

Reservo entonces el término existir
para el tiempo en que se vive amando,
mientras camine solo, errante y triste,
afirmaré que sólo soy, y seguiré pensando
que sólo cuando se ama es que se existe.

LUIS PAVÍA L.
Ensenada, Baja California

A PARTIR DE TI

A partir de ti
cambio mis esquemas,
cambio mis motivos
a partir de ti.

Como ente nuevo
emprendo caminos jamás recorridos.
Como hoja en blanco
inicio la historia de mi nueva vida.

Como campo virgen
preparo el terreno
donde han de plantarse
las más bellas flores.

A partir de ti
y con tu ayuda.
A partir de ti
y con tu amor.

LINDA SALAS
Nuevo León

BÚSCAME

Búscame en el silencio, cuando esté lejana
me hallarás en tu voz, en tu mirada
me hallarás en la sombra de tus pasos,
en la caricia musical de mi recuerdo,
en los fulgores de la luz cuando amanece,
en el perfume que se esconde en mi cabello.
Despierta y siente el calor cuando te abrazo
estaré ahí, escondida en el silencio
estaré ahí, cobijándote en mis sueños,
jugueteando con la luz de tu mirada,
deslizando mis caricias por tu espalda
y escuchándote el latir del corazón.
Estaré ahí, perdida entre tu mano
en forma de amor, sin tiempo ni distancia
me llevarás en ti calladamente...
sin nombre, ni olvido, ni esperanza.

IMELDA
Gómez Palacio, Durango

COMO

Como el aire imperceptible se mete
entre las copas de los árboles.

Como el sol invade los sentidos.
Como el mar suavemente entra en la arena,
así te me vas metiendo.

Como las miradas silenciosas y furtivas,
que lo dicen todo en el silencio.

Como los sentidos despiertan a la vida,
así te voy sintiendo.

Como el apretón de manos y el coloquio interno,
como la esencia de otros aromas a lo lejos,
así te voy dejando...

Así te voy queriendo.

CECILIA SALINAS
Guadalajara, Jalisco

CONSTRUCCIÓN

El amor que siento por ti
lo fui haciendo poco a poco,
acumulando miradas, detalles,
juntando caricias y besos
apilando tus palabras de amor
de amistad y de enojo,
acarreando como las hormigas
muchas cosas sobre mis hombros
hasta que fue creciendo
y aumentando como océano
como río desbocado y loco;
se fue formando de citas y versos
en un ir y venir hacia ti,
almacenando cuidados y sonrisas
fue elevándose como marejada
hasta romper el dique de mi pecho
para ir inexorablemente a ti
que esperas con los brazos abiertos.

ELIA VARGAS SASTRÉ
México, D.F.

DÉJAME QUE TE VUELVA A VER

Déjame que te vuelva a ver
para sentir de nuevo que estoy viva,
pues desde que te fuiste
en ninguna otra mirada me he vuelto
a encontrar.
Déjame que te vuelva a besar,
que mis labios hace tiempo
que no sienten una caricia,
y ya se han olvidado de ese temblor tan extraño
que antecede a tu proximidad.
Déjame que te vuelva a hablar,
que mis palabras desfallecen día a día,
envueltas en un absurdo silencio
pues saben que como tú nadie las puede escuchar.
Déjame que te vuelva a ver
y que bajo el embrujo de tus manos
mi piel se vuelva a estremecer,
déjame volver a querer,
mi corazón se ha secado
y mi cuerpo desde hace tiempo
no goza de un amanecer.
Déjame verte de nuevo
extraño y absoluto desconocido,
necesito volver a enamorarme
y sé que es contigo.

LETICIA NÚÑEZ
México, D.F.

DIME TÚ

¿Dónde tocarte,
que no te hayan tocado ya otras manos?
¿Cómo besarte,
sin sentir el sabor de otros besos en tus labios?
¿Qué palabra decirte,
palabras que antes no hayas escuchado?
¿Cómo habitar en tu corazón,
si ya está profanado?
¿Cómo hacer para que olvides
recuerdos donde no estoy contigo?
¿Cómo hacer para que me añores
cuando no estás conmigo ?
¿Cómo mirarte,
sin ver en ti a lo que más amo?
¿Cómo decirte que te amo
y no perderte para siempre?

RODOLFO NARO
Guadalajara, Jalisco

DÍMELO ASÍ

Cuando me digas
te quiero,
no me lo digas quedito,
dímelo a gritos,
porque si me lo dices quedito
puede volverse suspiro
y mira que el viento
se lo lleva consigo...

Cuando me digas
te quiero,
dímelo a gritos,
para que el eco
vaya rebotando
por el espacio
y llegue hasta el cielo
y lo sepan los astros
y cuando la lluvia caiga,
en su repiqueteo dirá:
te quiero.
Y cuando el aire pase
irá diciendo:
te quiero.
Y cuando la luna vaya
alumbrando por los rincones,
irá murmurando:
te quiero.
Y cuando el sol salga
con sus brillantes rayos

dirá claramente:
te quiero.
Por eso cuando me digas
te quiero,
no me lo digas quedito,
¡dímelo a gritos!

ANNA PÉREZ DE BÉJAR
Naucalpan, Edo. de México

EL AMOR VIENE DE LEJOS

El amor viene de lejos
con pasos lentos
o cayéndose sobre uno
se nos sube al cuerpo
como hiedra al muro...
nos trepa como a un monte
con risas o con miedos,
llega cansado o contento
arrastrando besos viejos
miradas secas y caricias muertas
viene, llega, siempre llega
y se mete por todos lados
aunque no haya puertas...
por esas razón espero,
por ese acontecer pregunto,
que así como el amor llega
¿por qué no vienes tú
de allá de tan lejos
y te metes a mi alma
y te quedas adentro?

ELIA VARGAS SASTRÉ
México, D.F.

GITANO SEDUCTOR

Gitano seductor,
ven a mis brazos
esta noche escarchada
y protégeme
con el buen amuleto
de tus besos.

Hoy,
no vendrá la lluvia
a importunarnos.

Y yo... quiero leerte
las cartas de amor.

ANTONIA ROBLES ARAGÓN
Oaxaca, Oaxaca

SIN TÍTULO

Guardé para ti dos palabras;
las escuché en el camino,
fueron obsequio de la mañana,
las paladeé en el almuerzo,
llegaron junto con el sueño.
Te las diré en secreto,
porque son misteriosas,
porque así me dijo una estrella
que se dicen estas cosas.
Tienen la suavidad de un niño,
pero la fuerza del mar,
lo grande de la esperanza,
la luz del atardecer.
Cierra tus ojos, y escucha.
Gracias... Mujer.

DR. ARMANDO ARENAS
Cd. Juárez, Chihuahua

SIN TÍTULO

Hace días he buscado las palabras que
renacen en tu boca, hace días que te
busco entre las noches y en los bordes
de la aurora. Y no encuentro ni tus
risas ni te encuentro entre las horas;
mas recuerdo en ese instante, al buscarte
entre las letras, que a pesar de
estar distantes es tu amor quien se
presenta, quien se sienta aquí conmigo,
quien comparte conmigo su mesa, quien me
arranca este suspiro, quien hace de mí
un poeta.

JORGE DOMÍNGUEZ CORTÉS
México, D.F.

HACE MUCHO TIEMPO, AMIGA

Hace mucho tiempo, amiga,
que eres mi casa.
A través tuyo,
a través de tus ventanas,
el mundo he conocido, amiga.
Me has permitido conocer
tu sinuoso cuerpo,
sin recato alguno
me has enseñado
tu cristalina desnudez
y contigo he contemplado
amaneceres diversos,
y por ti y contigo también
he vivido atardeceres adversos.
Bajo cualquier circunstancia
eres mito y realidad,
me enloquece tu existencia
y la vida vivo viviendo
buscando tu libertad
para amarte plenamente.
Esa libertad que tú deseas,
esa libertad que tú me enseñaste,
esa libertad que añoras,
esa libertad de amarnos,
esa libertad que debe de ser
sinónimo de felicidad.
Amor no te desesperes...
lo conseguiremos.
A pesar de quienes se opongan
seguiremos caminando.

Toma mi mano y continuemos
que juntos llegaremos
a donde nadie ha llegado:
A construir un paraíso,
en donde el nuevo sol del nuevo amanecer
tome en cuenta el recuento de nuestras vidas,
pero sobre todas las cosas
tome en cuenta la satisfacción
de haber cumplido con el objetivo divino,
con armonía y amor,
de forjar juntos nuestro propio destino.

GILDARDO
Chiapa de Corzo, Chiapas

INSISTO EN TI

Insisto en ti
porque contigo aprendí a querer,
y ha sido en vano que mi boca
haya intentado olvidar tus besos
jugando a probar el sabor de otros labios
porque es la pasión de los tuyos
la que embriagó mi ser.

Insisto en que no hay otra mirada
más profunda que la tuya
porque me envolvía en el infinito
y me hacía empequeñecer,
y ha sido inútil que con otras pupilas
haya intentado enloquecer
porque la miel de tus claros ojos
continúa embelesándome sin querer.

Insisto en poseer tu cuerpo de nuevo
porque en él me hice mujer,
porque tus manos me descubrieron,
porque conquistaste mi más íntimo placer;
y ha sido en vano
que al lado de otro cuerpo yo intente
desfallecer
porque extraño tus caricias,
porque tus sonidos me hacen falta
porque mi piel no se quema igual
con el sol de un distinto amanecer.

Insisto en ti
aunque te encuentres ausente,
aunque el soñar con tenerte sea ya una
l o c u r a,
y a pesar del tiempo transcurrido
continúo diciéndole al viento que espero
—por si deseas volver—
que
estoy enraizada contigo
—a pesar de mi tronco envejecido—
y no obstante que el insomnio
marca mi cara cada anochecer,
para mí
no hay mejor presente que el ayer.

Insisto en ti,
irremediablemente pienso en ti,
aunque por hacerlo
se me haya escapado
la
c o r d u r a.

LETICIA NÚÑEZ
México, D.F.

LOS AMANTES BUENOS

¿Sabes por qué nos llaman los amantes buenos?
Porque la esencia de nuestra existencia es el amor,
porque sabemos sufrir y soportar el dolor
de amar totalmente y no ser amados.

Porque sabemos decir "lo siento" a tiempo,
porque no hay en nuestro corazón odio ni reproches,
porque al entregar amor lo hacemos con derroche
pues en nosotros impera la bondad.

Porque sacrificamos nuestra felicidad por los demás,
y a costa de fracasos y de errores
es como alimentamos en nuestros corazones
la esperanza de encontrar un nuevo amor.

Porque pocos somos los que como tú o yo
al hermano le brindamos la mano
y no porque en el camino andamos
sino porque ver sufrir simplemente no podemos.

Por eso nos dicen los amantes buenos
y más que nada tal vez así nos llaman
porque por dentro llevamos encendida la llama
que alumbra siempre el sendero de los demás.

ING. JUAN CARLOS CANTORAL SILVA
Monterrey, Nuevo León

NUESTRO AMOR

Nuestro amor
no se ha abrigado
en la sombra;
nuestro amor
tiene sol.
Corrió por los maizales
escondiéndose travieso,
pisó los fresales,
gritó
y el eco le respondió.

Fue saltando
al fondo de las barrancas,
fue corriendo
por montes y veredas
y fue dejando
huellas de su paso
por las sementeras.

Es alto
en la montaña;
profundo
en el barranco,
ligero
en el viento
y dulce
en el canto.

Nuestro amor no conoce
la sombra,
nuestro amor
tiene sol.

ARTURO VILLALOBOS SANDOVAL
Tepic, Nayarit

PIENSO EN TI

Cuando pienso en ti,
es tu sonrisa la que llevo
en mi mente,
son tus miradas
las que me estremecen tiernamente,
porque eres tú
como el suave rocío matinal
lo que me transforma en
un loco sentimental.

Es un minuto o es un segundo,
no lo sé cuando estamos juntos,
pero es tu paso por este mundo
lo que tanto estuve esperando
porque desde siempre te he querido
y aunque no te hubiese conocido
aún te estaría inventando.

Me gusta pensar en ti
revivirte momento a momento,
recrear mis ideas con tu ser,
sentirte mi complemento,
llorar de felicidad
cuando apareces tú
en medio de la oscuridad.

Me gusta pensarte
me gusta sentirte
en una palabra
ME GUSTA AMARTE

EDUARDO SASTRÍAS
Cholula, Puebla

POR DÓNDE LLEGASTE

¿Por dónde llegaste?... no lo sé,
por cualquiera de los puntos cardinales,
apareciste con tu piel morena
y tus ojos de color melancolía,
llegaste de alguna parte cercana
o distante, donde no había amor,
o quizá del lugar donde duermen
todas mis esperanzas y mis desvelos;
¡llegaste! eso es lo importante ¡que llegaste!
con fuego, con sed de madrugada,
después de andar recorriendo y amando
pechos palpitantes y bocas cerradas
no se qué pasó, sólo se que llegaste
a encontrar en mí ¡lo que buscabas!

ELIA VARGAS SASTRÉ
México, D.F.

¿POR QUÉ TE AMO?

Porque eres mi control y mi descontrol
porque me condicionas y me acondicionas
porque me pides calma con lo revuelto de tus besos tiernos
porque proyectas luz con esa sombra de tus ojos negros.

Porque sin ti no capto lo que pasa ante la vida
porque tu pelo bruno se peina ante mis sueños
porque tu risa alegre me despierta cuando duermo
porque ante nosotros el amor será eterno.

Y porque sé, bien que lo sé...
que algún día, no se cuándo ni por qué
me dirás con lo revuelto de tus besos tiernos
y con la sombra de tus ojos negros
que tú también me amas.

EDMUNDO LÓPEZ DÍAZ
Querétaro, Querétaro

¡RECORRER TU CUERPO DE NORTE A SUR ES UNA AVENTURA!

¡Recorrer tu cuerpo de norte a sur es una aventura!
Es algo así como recorrer el mundo
entre ríos, océanos y mares embravecidos.
Es escalar las más grandes montañas,
atravesar selvas, desiertos, ciudades y provincias.
Es aspirar aromas de frutos, hierbas, tierra mojada.
Escuchar aves, vientos, susurros,
voces encendiéndome la piel.
Es sentir la seda de tus manos,
entregarme a tus abrazos,
abandonarme en tu pecho,
cabalgar sobre tu cuerpo
hasta el cansancio
¡muriendo de placer!
Para que me entiendas en pocas palabras,
recorrer tu cuerpo es tenerte a mi lado
esperando un nuevo amanecer.
Es besarte en los labios, en la frente, en el cuello
y escucharte entre dientes decir
muy quedo que me vas a querer.

LILY S.
Querétaro, Querétaro

SEÑORA

Mujer madura que en la piel conserva
huellas perennes de algunos momentos
que envueltos en el paso del tiempo
han llenado su vida de recuerdos.

Quisiera yo, señora, si es posible,
compartir ese mundo de secretos.
Si acepta, a cambio le ofrezco
el mundo nuevo de amor que tengo.
Me inquieta usted, señora, muchas veces
he querido apretarla entre mis brazos;
he imaginado que su cuerpo ardiente,
al darle un beso, me quema los labios;
convídeme la esencia de sus mieles,
no me niegue un poco de lo suyo
y por favor, no me reproche nada,
que fue preciso arrancar mi orgullo
del corazón para decir esto:
Sólo un tramo de vida nos separa;
perdóneme por ser irrespetuoso
y por desear, en forma tan vehemente,
que con su madurez, un día me amara.

LIC. CRISTÓBAL R. ORTIZ GONZÁLEZ
México, D.F.

TRATO

Qué fácil sería enamorarme de ti
si te tratara,
si me mirara en tus ojos
y descubriera más allá de tu alma,

si compartiera contigo mis andanzas,
si compartieras conmigo tu jornada,
si supieras mis secretos
y yo tus pensamientos encontrara,

y vagabundearas por mi vía
y yo volara con tus alas,
si tomaras mis manos
y tejiéramos una esperanza,

no sería difícil el quererte,
no sería imposible que me amaras,
porque buscamos por distintos campos
el mismo fin, la misma casa,

porque tus sentimientos sueñan
con lo que los míos cantan,
porque tu vida tiene las notas
que buscan mis pies, mi confianza,

que fácil sería enamorarme de ti
si te encontrara,
si trataras mi sonrisa,
si tomara tu palabra,

si abrazaras mi ternura
y yo tocara la fortaleza que alcanzas,

juntos caminaríamos más allá de la conciencia,
no habría cansancio para la relación,
para el beso y la palabra,
de alguna forma, poco a poco
construiríamos un espacio que rompiera
la soledad de nuestras almas.

LIC. ALMA ROSA ALCÁNTARA MENDOZA
Atzcapotzalco, D.F.

UN SECRETO A VOCES

¿Sabes? hoy tengo que decirte un secreto
que debe quedar entre tú y yo,
es sobre un sentimiento
que hace tiempo abriga mi corazón.
Tal vez los demás ya lo hayan notado
porque siempre estoy hablando de ti,
porque un sentimiento así
por mucho tiempo no puede ser ocultado.
Pero si tú aún no lo sabes,
tengo que decirte un secreto
que debe quedar entre tú y yo,
porque para amar sólo se precisan dos.
Pero acércate más, déjame sentir tu calor.
Así. Ahora escucha el latir de mi corazón,
que susurra mis incesantes frases de amor,
que te dice que eres mi más grande ilusión.
¡Sí!, ese es mi secreto, estoy enamorado de ti.

RODOLFO NARO
Guadalajara, Jalisco

UNO PARA EL OTRO

En nuestras vidas, tú y yo somos
hechos el uno para el otro,
como el amador y la amante
que ya no pueden separarse.

Tú eres mi cauce y yo soy tu río,
tú eres mi origen, yo tu destino,
yo soy el campo y tú eres mi flora,
tú eres mi luz y yo soy tu sombra.

Somos el uno para el otro;
como el pétalo y el perfume,
como hermosos y maravillosos
son los cielos con sus azules.

Somos el uno para el otro:
como arco iris y colores
como las costas de los mares,
soy el amor de tus amores
que ya no pueden olvidarse.

En nuestras vidas, tú y yo somos
hechos el uno para el otro,
como el amador y la amante
que ya no pueden separarse.

FRANCISCO YBARRA DOMÍNGUEZ
Cd. Juárez, Chihuahua

Poemas de desamor

Te envío unas poesías de una tía mía (q.p.d.) quien escribía como un desfogue a sus inquietudes y problemas. Aunque ella no estudió en Universidades, lo que escribió, a mí y a otras personas nos parece bonito. Ojalá a ti te gusten y los leas en el programa, para que así las personas que nunca la entendieron la escuchen.
Mi tía se llamaba María Luisa Lee de Gamez.

LEONOR PEREDA LEE
Col. Vergel de Coyoacán
México, D.F.

ALMOHADA

Húmedo yace tu amor bajo mi almohada,
oculto...
para que nadie lo vea,
¿por qué ese afanoso deseo de un beso tuyo?
imaginándome contigo...

Cada noche ella es testigo de este amor en silencio,
si padezco insomnio es porque velo por un amor...
callada como la noche,
lejana como la luna...
¿por qué te siento cerca aun estando lejos de ti?

Cada noche en mi almohada me repito:
debo dejar de pronunciar tu nombre,
de pensarte,
de quererte,
de tratar de ganarme tu cariño.

Quiero descubrir por qué invades mi ser,
qué será lo que me das si tu corazón no lo encuentro,
la madrugada cae y el silencio invade mi almohada.

ANÓNIMO

AMOR, AMISTAD

Ha de ser sublime amarte...
amarte de cuerpo entero,
amarte por dentro y por fuera,
amarte de tiempo completo,
amarte por una sola vez, por todas, y por siempre...

Pero, sí..., ya lo sé...
amarte, me está prohibido...

Ahora tengo que explicarle al corazón
que se equivocó nuevamente
pero me contestará que él no se equivocó,
que él sabe bien lo que quiere, y lo que quiere eres tú...
que no se pueda..., es distinto...

No tengo tu amor, pero no estoy sin nada
no tengo tu amor, pero no esto vacía
no tengo tu amor, pero tengo algo en mis manos:
tengo tu amistad y tu cariño...

¿Y será suficiente?
¡tiene que serlo!
tengo que aprender a besarte con los ojos,
a acariciar tu alma dulcemente,
a unir tu espíritu al mío,
a entregarte y recibir nuestra ternura mútua,
a apaciguar mis ansias, deseándote lo mejor,
a callar tu nombre como "amor", y a gritarlo como "amigo",
a trocar mis lágrimas de tristeza, por risas que te hagan bien,
a ubicarte como un satélite más en mi vida, en vez de que mi vida gire en ti,
a darte todo lo que tú esperas de mí... y no lo que yo supuse que querías...
tengo que aprender a sustituir lo individual de mi amor,
por lo universal e infinito de nuestra amistad...
te tengo que regalar mi amistad amorosa y mi amistoso amor...!!

RENÉE LASSO RICOT

AÑORANZA

Recordar simplemente,
volver la vida como se vuelve
la mirada,
sentir que se sueña;
soñar,
abrir los ojos
y dar rienda suelta
al ayer.
Imaginar
como se imagina
un poema
y vivir con el sueño
de los días o los años
o la vida de antes,
con toda la alegría
y dejar que llore
el corazón
y el vacío de las entrañas
porque no se puede llorar
con los ojos
que se secaron hace muchos años inútiles,
por lo que se añora,
por lo que se extraña.
Encontrar en la caminata nocturna,
la paz de una mirada
que lleva la noche en el alma
y al día en la conciencia,
reír y reír a carcajadas
con el viento en la cara
y la razón herida,
con el cabello revuelto
y la vida puesta a descansar un momento
que quisiera fuera eternidad.

Dibujar en la mente
aquel rostro
y aquel cuerpo
que se desvanece,
ensuciar cada noche
la belleza de esa imagen,
enlodar, raspar
y romper
la pureza
de una niña de ayer,
virgen,
clara,
con la porquería
de otros amores,
con el hedor de otros humores,
con la ponzoña
de otros besos,
la mancha de otros espasmos,
y el rasguño
de otras garras.
Y aquella imagen niña,
y aquella canción virgen,
bellísima
desaparecen una eternidad
para dar paso
a la rutina
y seguir absorbiendo
el sabor de otra saliva
y vivir otra vida
que no es...
que no será nunca
la que perdí,
la que nunca será...
Llevar la culpa
de perder en aquel sueño
lo que perdí en la realidad,

despertar del recuerdo,
volver la vida
a su antiguo cauce,
al normal,
al que es...
ahogar el remordimiento
sonriendo a otra sonrisa,
amando a otro amor,
engañando a otro corazón...
Y llorar...
llorar con el alma,
porque no se puede llorar
con los ojos
que se secaron hace muchos
años inútiles,
añorar,
extrañar
y buscar
y desesperar,
todo con calma,
para seguir absorbiendo
el sabor de otra saliva
y vivir otra vida
que no es...
que no será nunca
la que perdí,
la que nunca será...

JORGE LUIS MAGOS CERÓN
México, D.F.

AUSENCIA

He sentido tu ausencia dentro de mí,
muy en el fondo y con grande nostalgia.
Ha nacido la necesidad de tu presencia
e inesperadamente surgió una lágrima.
¡Qué largo ha sido el tiempo!, tus palabras
han quedado grabadas en mi mente y
jamás olvidaré tu ternura y el calor
que siempre me protegió, y todo aquello
que inspiró en mí el primer amor.
Que estás presente en cada suspiro, que
no son de tristeza sino de fe y esperanza
de volver a estar a tu lado.
He tenido noches largas, muy largas y
soñando cosas bellas, que como una
realidad escuchaba tu voz y sentía
tu aliento.
Creí reflejarme en tu mirada
y de tus labios pronunciar que
me querías.
Que al estar separada de ti
sólo me queda amarte mucho más
y rogarle a Dios te haga llegar
antes de que llegue mi final.

DINORAH R. BALLEZA
México, D.F.

A VECES, NO SIEMPRE, PERO EN TIEMPOS ME HACES FALTA

A veces, no siempre, pero en tiempos me haces falta.
No te extraño seguido, pero siempre que respiro
anhelo ese aroma tan tuyo y tan querido.
A veces, no siempre,
pero cuando llego a mi cuarto vacío necesito tu
presencia, tu esencia y tu cariño (también tu estilo)
No seguido
Pero cuando llega a moverse eso que me queda de
corazón, pregunta adolorido por qué ya no lo llenas
de amor
A veces, no siempre
Pero tal vez... ¡No me explico!
Siempre, todos los días y todos los minutos, a todas horas y
en todos los lugares: ¡Te necesito!

EDMUNDO LÓPEZ DÍAZ
Querétaro, Querétaro

CARTA

Querida Susana:

Con la presente le envío un ejemplar de mi libro *Crónica de un Desamor.*

La historia de *Crónica de un Desamor* es mi historia, la historia que escribí durante mi embarazo y es también la gran terapia que me permitió seguir adelante. Un buen día pensaba destruir todo este material cuando se me ocurrió que debía sufrir mejor suerte, fue entonces cuando decidí publicarlo; sólo para enfrentarme a respuestas como "No, no, la poesía no se vende", o "Por qué mejor no escribe una novela, es lo que está de moda", o "La gente ya no lee poesía". ¿Se imagina? Me aconsejaban escribir una novela como si fuera hacer enchiladas o como si el verso estuviera apestado; fue entonces cuando me salió el valor, que junté mi dinerito e hice la humilde edición que le envío, con un tiraje de mil novecientos libros. Pero no tenía dónde distribuirlos: en las librerías es dificilísimo, así que fui con los voceadores y, por una comisión que ellos consideraron alta, vendieron mis libros. Desde luego fue riesgoso, pero ¿qué cosa no lo es? Además, para qué quería yo tanto libro. Afortunadamente, recuperé mi inversión y descubrí que el puesto de periódicos, las escuelas y el metro son los lugares de venta de la poesía, y que la gente sí la compra porque se vuelve tremendamente cotidiana, o tal vez por curiosidad, además de que estoy segura que capté público que no es muy asiduo a las librerías. Actualmente tengo ya la segunda edición y he descubierto que es muy divertido esto de inventarse lugares de venta, y siento que hago algo por abrir caminos.

CRÓNICA DE UN DESAMOR

Mi pluma arrebatada
azota indiscriminadamente la tinta
para repetir mil veces ¡eres una inútil!
puesto que no sé abrir una puerta
y me caigo parada
y me tropiezo conmigo misma
y no sé hacer una suma
y me estorban las pantimedias
y escribo trivialidades
y tú apareces
y todo se complica mucho más
y se me enredan las ideas en el pelo
y no me puedo peinar
y pierdo la precisión del sueño.

Y pierdo el sentido de la orientación si me abrazas
y se me cae el mundo si me besas
y se rompe mi cuerpo si lo tocas
y quisiera robarle al tiempo las horas, los minutos
y los días para pasarlos contigo
y ser vulgarmente felices
y comunes, sin embargo, vuelvo a mi torpeza
y no sé cómo enamorarte
y me aturde que estés cerca
y me quiero ir y no me voy
y me quedo para hacer preguntas existenciales
y todo porque me niegas tus caricias
y convengo en que soy una inútil
y que no sirvo para nada que no sea amarte
y como no me dejas hacerlo…

Se me está olvidando mi nombre y el alfabeto.

PATRICIA MARTÍNEZ ROMANI

DESAMOR

El desamor formaba parte de mi vida
hasta que tú apareciste en mi camino

y tu cálida presencia fue entibiando mi alma
y mi corazón latió con un vigor ya olvidado
y mi vida renació a la esperanza y al amor que florecían...

Y me sentí dichosa, y viva, como hacía tanto no lo estaba...

No sé si tuviste o no la culpa,
lo único que sé
es que de repente estabas tan metido en mí
que en ti giraba toda mi existencia...

Descubrí que nuestros pensamientos van caminando de la mano,
que nuestros sentimientos y emociones, fácilmente se pueden acoplar,
que nos entendemos sin que medien las palabras,
que nuestros relojes marchan al compás,

pero nuestros calendarios están desarreglados
no hay sincronía en nuestros días,
los años no pueden regresar...

Tú nunca alcanzarás mis despertares
y mis noches sobrepasan a las tuyas,
tus atardeceres no podrán rebasar a mis mañanas,
y mis puestas de sol, en número, no se comparan con tus lunas llenas.

Estamos en bien distantes dimensiones,
no quiero hacerte daño, no quiero lastimarte,
y como esto es imposible,
tengo que arrancarte de mi vida,
desprenderte de mi piel,
apartarte de mis ojos y mi mente...

¿Y mi amor?
Mi humilde, inmenso y desesperanzado amor...
mi tantas veces despreciado amor...

¿Adónde irá? ¿Qué haré con él?
Agarrarlo, sujetarlo, ahogarlo, desaparecerlo...

¡Ay, pero cómo duele!

Y tendrá que regresar al DESAMOR.

RENÉE LASSO RICOT

EL ADIÓS

Estás del otro lado del adiós
de aquél que nos dijimos ese día
en que rompimos para siempre el lazo
que nos llevaba atados a la misma vida.

Contigo se quedaron los recuerdos
lo malo con lo bueno entretejido
y las vivencias que gozamos juntos
ésas ya están en el archivo del olvido.
No puedo permitirme tu recuerdo
por eso espero que te quedes lejos
el adiós es el muro que separa
tú estás del otro lado. ¡Yo ya no te quiero!

REYNA GARCÍA DURÁN
Monterrey, Nuevo León

ELLA YA NO VENDRÁ MÁS

Ella ya no vendrá más, y su belleza
quedará colgada de mis sienes,
e impregnada en mi cuerpo.
Ella ya no vendrá más, y con ella
se quedará mi deseo de conquistar
lugares, apartar piedras y diseñar
sueños.

Sólo dejó el viento que la llama,
mi calor que la busca,
mis manos que la extrañan.
Ella ya no vendrá más, y yo solo
miro a lo lejos buscándola,
y yo... sólo seguiré preguntando
por qué...
ella ya no vendrá más.

RUBÉN MENESES
San Luis Río Colorado, Sonora

EL MUNDO SE ME HA POBLADO DE ADIOSES

El mundo se me ha poblado de adioses.
Voces en todos los tonos se despiden.

El recuerdo como un largo abrazo se extiende
hasta la última vez que nos amamos.

Mi memoria regresa para revivirlo todo.
Pero la realidad me sopla fríamente en el oído
que los dioses no repiten sus favores.

No estoy sola. Yo soy la soledad.

ROSA MARÍA PEDRAZA
Culiacán, Sinaloa

EN EL ANDÉN DE LA BAHÍA

Camino
se hunden mis pisadas
en el andén del puerto.
Escondido
entre ramas de almendro
silba un reptil
mientras intento
desnudarme de tu amor.
Hay sal en la brisa,
cangrejos en la roca
y gaviotas ariscas
profanan las entrañas
del espacio.
Cierro la puerta
del pasado.
Quiero quedarme aquí,
que me sorprenda la noche
deambulando descalza
del ayer.
El futuro
absorbe mi silueta
que vaga en busca
de un mañana diferente.
... Respiro entre medusas.

ANTONIA ROBLES ARAGÓN
D.F. — Oaxaca

HOY EMPIEZO A DESHOJAR DE MI MENTE

Hoy empiezo a deshojar de mi mente
los recuerdos más bonitos
que formé alrededor de nuestra aventura.
Iré tirando poco a poco
la nostalgia que por ti
invade mi corazón.
Sacaré de una vez por todas esas tristezas
que me causan tu silencio,
borraré definitivamente esos momentos tan bellos
que sólo tú supiste darme.
Quitaré de mi corazón esos latidos palpitantes
que dan calor a mi cuerpo.
Aunque sé que todo será inútil
porque cuando esté desnudo sin nada en la memoria,
la nada cobrará figura...
y vendrán otra vez a mi mente
los recuerdos más ardientes de tus besos.
Porque eres imborrable
porque eres inmortal
porque eres el amor inacabable
que vivirá eternamente en mi cuerpo, en mi corazón
y también en mi agonía.

EDMUNDO LÓPEZ DÍAZ
Querétaro, Querétaro

HOY SÓLO QUIERO PENSAR EN TI

oy,
hoy sólo quiero
pensar en ti,
no me importa
la verdad
de tu vida,
o la razón
de mi silencio.

Hoy
sólo quiero
pensar en ti,
y sentir
que el tiempo
y la vida
han vuelto,
aún sin ti,
y estoy en ti...

Tal vez mañana
te recuerde
menos
y algún día
no sabré
quién eres,
o qué fuiste.

Tal vez mañana
no te reconozca,
cuando aparezcas
en la mascarada,

con la infancia
dormida,
con la luz
de tu mirada
casi apagada
por el resplandor
de otras vidas.

Por eso,
hoy
sólo quiero
pensar en ti,
para mantener
viva tu imagen
y limpio tu nombre
en la antesala
de mis cariños
hurtados,
de mis libertades
arrancadas
con la
garra
de otro amor
que se funde
con la obligación
y el temor
de una vejez
lejana,
presente,
inevitable.

Hoy
sólo quiero
pensar en ti,

porque
tal vez mañana
caminando
por la calle
de nuestra
vida en común,
volvamos el rostro
sin decir adiós,
sin conocernos,
sin haber
cumplido
con nuestra
misión
en aquel
trozo de tiempo
que fue destinado
para conocernos,
para que yo
te amara
y tú...
... me olvidaras.

JORGE LUIS MAGOS CERÓN
México, D.F.

NO HAY NADA

Entre tú y yo no hay nada
ni palabras, ni noches amargas,
ni mañanas nubladas.

Ni siquiera esa caja de zapatos
que guardaba recortes y fracasos,
he limpiado el ropero de los recuerdos,
he olvidado nuestros ratos buenos,
he olvidado el aroma de nuestras noches,
he quitado los cuadros
y de la alfombra he borrado las pisadas
y las marcas de cansancio.

Aunque nos haga daño
tú y yo nos hemos olvidado
tal vez nunca encontraremos otro amor acurrucado
y nunca, nunca más volverás a mi lado
y nunca, nunca más volveré a tu lado
porque entre tú y yo
como si nada hubiera pasado.

RUBÉN RAÚL RÍOS
Cd. Juárez, Chihuahua

PARA MATAR UN AMOR

Se necesita tan poco
para matar un amor,
una burla, un enojo,
una pequeña traición.

Para que te inunde el llanto,
se te apague la ilusión
y tus ídolos de oro
se te vuelvan de cartón.

Te abandonan espejismos.
Los mitos, la confusión,

se ven las cosas tan claras
igual de crudas que son.

Te enteras que no fue un noble
ningún rey o semidiós
y que tan sólo es un hombre,
un hombre, que no te amó.

Así pases media vida
encadenada a un error
mejor descubrirlo un día
que morir sin comprensión.

Has escuchado mil veces
nadie se muere de amor.
Pero sí hay quienes mueren
tristes y en el desamor.

Es que los enamorados
tienen frágil corazón,
que con las crueles palabras
se hieren sin compasión.

Una mirada de hielo
el alma te parte en dos,
sientes que se nubla el cielo,
que no te escucha ni Dios.

Entonces brilla un lucero
en tu madrugada gris,
aun cuando te ha dolido
es mejor ya poner fin.

Mejor tu sola contigo
viviendo feliz por ti
porque su amor traicionero
tan sólo te hizo sufrir.

ROSA MARÍA HILL BARBA
Guadalajara, Jalisco

POEMA A USTED

Usted no sabe ni se imagina
por qué camino por raras callejas,
donde se apagaron ya las candilejas
en tanto un recuerdo me asesina.
Usted no sabe por qué me arrincono
y a mí acude una lágrima vieja,
un mal olor que así deja
a mi alma en abandono.
Usted no sabe del dolor amante
que en cada noche me trae su queja...
o del adiós tras de alguna reja
bajo una luz de diamante.
Usted no sabe de la copa vacía
de aquel amor que se aleja:
Y al enterrar el aguijón cual abeja
en ese instante moría.
No, me equivoco, usted sí sabe,
lo adivine en su mirada;
que en su cama ya no cabe
otro cuerpo ni otra almohada.

LIC. SERGIO MARTÍN JACOBO MARTÍNEZ
Naucalpan, Edo. de México

SEPARACIÓN

Tu boca ha enmudecido
de repente,
tus ojos se fijan en los míos,
tus manos me oprimen
fuertemente.
Así quisiera estar contigo
para siempre.

Voy a partir
y truncaré el encuentro,
las carreteras me enredarán
con su negro listón de asfalto
y me pondrán moños de luto
porque te quedas lejos.

Mas tu destino y el mío
al cabo de un verano
se han quedado fundidos.
Yo puse nudo verde
con el listón de las montañas
y tú pusiste plata
con la constelación de luceros.

ARTURO VILLALOBOS SANDOVAL
Tepic, Nayarit

SÉ QUE DECIR ADIÓS RESULTA INEVITABLE

Sé que decir adiós resulta inevitable,
pero quiero pedirte que me dejes la piel,
el alma y los sentidos,
bañados de ternura y no de olvido.

LINDY GIACOMÁN CANAVATI

SI TAN SÓLO ELLA SUPIERA QUE MI CORAZÓN

Si tan sólo ella supiera que mi corazón
se desmorona, que mi mente está hecha
un caos por tratar de olvidarla, si tan
sólo ella supiera de ese río de lágrimas
derramadas en un absurdo querer aferrarse
al viento, si ella fuera consciente de sus
actos estando en pellejo ajeno, si tuviera
un poco de la angustia que a mí me cala
hasta el centro de los huesos, o un poco
de la rabia con que casi destruyo estos
cuadernos, tal vez ella volviera a buscar
el infinito de la vida
en los poros de mi piel...

NEIRO FERNELY LEÓN VILLANUEVA
Tijuana, Baja California

I

Tenerte a ti
es como no poseer nada.
Como estar desterrado
del tiempo del amor
en el que habitas
sumergido y distante.
Tenerte a ti
es habitar en el vacío
inmenso de tu abrazo
como cuando intentamos
abrazar todo el mar con la mirada
y creemos haberlo poseído
y una vez alejados de la playa,
se convierte tan sólo en una imagen
sin aromas, sin brisa, sin sonidos,
vacía, como el vacío de nuestro abrazo.
Tenerte a ti
es poseer la soledad auténtica,
sin límites,
la soledad doliente
que ni siquiera puede acompañarnos
porque es vacío-nada
en el vacío
de nuestro propio yo,
tan desvalido.
Tenerte a ti
equivale a no tenerte,
a nunca estar seguro
de poseerte de manera total, definitiva.

Por eso, por eso amarte a ti
es vivir para siempre
desterrado, vacío,
desposeído, solo e inseguro.

II

Se ha cerrado tu puerta.
Dentro de ti no existo,
me he quedado aguardando
—sin llave—
a que tú me abrieras.
A mitad de la tarde
y en medio de la lluvia,
se ha mojado mi cuerpo
de lágrimas y esperas.
Este, mi cuerpo herido,
que tú tanto conoces,
porque aún en la tiniebla
lo habitas y lo llenas.
En este cuerpo mío
—que es tuyo sin reserva—
se desplomó la tarde
marchitando las rosas,
talando los pinares,
asesinando estrellas.
No existen los milagros
y tu puerta se cierra
en mi vientre vacío.
Para mí no hay respuesta.
Los años han pasado
y las cosas más bellas
el tiempo se las lleva.

Tu puerta se ha cerrado
¡quiera el cielo que nunca
te arrepientas!

III

En medio de esta luz
y de este cielo
y a través de mis ojos
que te llaman,
el recuerdo de ti
brota en silencio.
¿Dónde estarán tus manos?
Me pregunto.
¿En qué armonía de amor
tienden el vuelo?
¿Hacía cuál pincelada de pasiones
se vuelcan desbordantes
de deseo?
¿Dónde estarán tus labios,
en qué llama
agotarán su sed
y sus silencios?
¿Dónde estará tu cuerpo
y en qué hoguera
consumirá la magia
del encuentro?
Y mañana... y después,
Amor,
¿dónde estaremos?
Mientras que nuestras manos,
nuestros labios
y todo nuestro cuerpo

se entrega en otra llama
y otra hoguera,
¿perdurarán aún
nuestros recuerdos?

ALICIA MARÍA UZCANGA LAVALLE
Papantla, Puebla

Y SE APAGÓ MI CANTO...

Y se apagó mi risa,
y se apagó mi canto,
la música de amores,
la luz... que me envolvía,
la fragancia de flores,
todo en mí, se moría.
Y quedé silenciosa
con la mirada ausente.
Así... como una cosa
que no piensa, ni siente.
Sólo por un momento,
febril, me contenía
ahogando el sufrimiento
del dolor que sentía.
Después... Poco a poquito,
y al fin desesperada,
mi llanto que fue un grito,
se enmudeció en la almohada...

CARMELINA ARMENTA ORTIZ
Cd. Carranza, Veracruz

Poemas al Señor

Me permito poner a su digna consideración estos pequeños trabajos, le soy muy sincero yo no sé nada de esto simplemente siento que me nace y no sé si está bien, regular o mal.

ENRIQUE GÓMEZ GIL GARCÍA
Puerto Madero, Chiapas

GRACIAS, SEÑOR

Gracias te doy Señor
por este sentimiento,
porque me diste la vida
y con ella el razonamiento.
Gracias por este mundo
que a zancadas recorro.
Gracias por darme la dicha
aun cuando a veces lloro.
Por este amor sincero
verdadero y completo.
Gracias porque hoy puedo ver,
puedo tocar el vacío,
puedo contar el tiempo
y ahuyentar el silencio.

Hoy puedo hablar a los campos
y puedo callar los lamentos.

Gracias, Señor, por darme la suerte
de amar, ser amada
y no temer a la muerte.

Gracias, gracias, Señor, por la vida
y gracias también por la muerte.

PATRICIA M. TORNELL
México, D.F.

GRACIAS, SEÑOR, PORQUE PARA TODO HAY TIEMPO

Hay un tiempo para reír, jugar y cantar
hay un tiempo para amar, para soñar y
los sueños realizar.

Hay un tiempo de la entrega y después
de la espera.

Hay un tiempo para amamantar y con ellos
también soñar y trabajar.
Para ayudarlo a sus sueños alcanzar.

Hay un tiempo de la separación
y de sufrir con resignación
hay un tiempo para reflexionar
y perdonar.

Hay un tiempo para orar y rezar y en tu
viña trabajar, Señor, si la gloria quiero
alcanzar.

Ya habrá un tiempo, Señor, en el que al fin
pueda descansar.

Blanca Moreira Acuña
Aguascalientes, Aguascalientes

LO VI PASAR

Lo vi pasar
tomando entre sus manos
la cruz con el sabor de un cruel martirio,
miraba con amor a sus hermanos
que gritaban de furia y de delirio.

Lo vi pasar y atravesó mi alma
la lanza del amor que contenía
en sus ojos llenándome de calma
aunque la sangre en mi interior ardía.

Lo vi pasar con un ruedo de espinas coronado
deteniendo un instante su mirada
y sonriéndome a pesar de sus heridas,
se grabó para siempre
su rostro ensangrentado en mi interior
de enamorada.

¡Cuántas cosas le dije en ese instante
teniendo su mirada sostenida!

Sangró mi corazón al ver plasmado
en un lienzo de amor
su rostro en el dolor crucificado.

MARCELA LAMOTHE MÁRQUES
Fortín de las Flores, Veracruz

¡Señor!
Estoy tan agradecida
porque gozo de salud
y me basto a mí misma.

Estoy tan agradecida
por tener la capacidad de amar
y de que me quieran.

Porque puedo mirar el amanecer
cuando el sol se levanta
e igualmente cuando éste,
paso a paso, se pierde en el horizonte.

Estoy tan agradecida
porque puedo gozar
del espectáculo maravilloso
del crepúsculo, cuando muere la tarde.

Por aspirar el perfume de las flores,
deleitarme con el canto de los pájaros
y seguir con la mirada
el vuelo de una mariposa.

Estoy agradecida
por ser parte de este mundo
en el cual vivo,
y poder hacer algo positivo
para conservarlo.

Por haberme dado tanta sensibilidad
y así captar
las cosas más sutiles
pero también las más ásperas.

He sido muy feliz,
pero también muy desdichada;
y ahora, tan cerca de mi ocaso,
sé que estos sentimientos
no existen el uno sin el otro.

Por permitirme llegar hasta este día
con salud y consciente, gozando
de todas mis facultades,
pero también aceptando mis limitaciones.

Estoy tan agradecida... ¡Gracias, Señor!

EVA SCHCOLNIK R.
La Paz, Baja California Sur

Al terminar este año Señor, te diré sólo dos palabras,
quiero que sean sinceras y sencillas,
en el silencio y en la soledad te digo en primer lugar
desde lo más profundo de mi corazón GRACIAS.
Gracias, Señor, por todo lo que en este año
me has concedido porque te lo he pedido,
por todo lo que me has dado sin habértelo rogado,
por todo lo que me has otorgado sin haberlo merecido.
Gracias por la salud, por el bienestar,
por las alegrías y las satisfacciones.
Gracias por el rayo de esperanza que me iluminó,
por aquella mano que me levantó,
por ese consejo que me guió,
por aquellas palabras que me alentaron,
por esa sonrisa que me alegró,
por aquellos brazos que me recibieron.
Te doy gracias porque en las tinieblas
me has iluminado,
porque de las caídas me has levantado,
porque de mis pecados me has perdonado.
Gracias te doy, Señor, por todo aquello
que ignoro y de lo cual debo darte gracias.
Junto con este agradecimiento, Señor,
te pido PERDÓN por mi negligencia,
por mi orgullo, por mi soberbia, por mi egoísmo.
Perdón, Señor, porque no siempre
te he sido tan fiel como he podido.
Perdón, porque habiendo recibido,
no he sabido dar.

Perdón, porque no he sabido perdonar
y he sido perdonado.
Perdón, Señor, por todo aquello que ignoro
y de lo cual debo pedirte perdón.
GRACIAS Y PERDÓN,
estas son las dos palabras que te quería decir,
te las he dicho, Señor.
Gracias por haberme escuchado.
Perdón, por aquellos que no te piden perdón.

ANÓNIMO

Nota: este poema me fue dado por la señora Margarita Sánchez Calderón, pero ella no sabía de quién era.

UN CRISTO QUE SONRÍA

Quiero pintar un Cristo que sonría,
un Cristo que esté lleno de alegría,
no triste, dolorido, escarnecido
como el que hasta hoy el mundo ha conocido.

Un Cristo que levante la cabeza,
que al mirarnos nos diga que nos besa,
que deje de decirnos que lo herimos,
que se olvide de aquello que le hicimos.

Que ya no nos recuerde aquel tormento
ni tanto sufrimiento, ni lamento,
sino la redención del mundo entero
al cual le perdonó ya lo altanero.

Así quiero yo un Cristo, arrogante,
erguido, no encorvado y tambaleante,
que no por compasión inspire a amarse,
sino a amarlo por gusto y entregarse.

Con un gran corazón, no ensangrentado,
sino latente, vivo, alborotado,
que se oiga palpitar y nos contagie
su anhelo de vivir y su coraje.

Que siga estando en cruz, mas no clavado,
con los brazos abiertos, mas no atados,
abiertos y dispuestos al abrazo,
a borrar toda huella del cadalso.

Ese es el Cristo que plasmar quisiera,
en un lienzo, y que el mundo conociera
no aquel Cristo eterno en agonía,
sino un Cristo que siempre nos sonría.

ELSA PARRAO DE HOYOS
Salamanca, Guanajuato

Poemas a la madre

De mi persona le contaré que tengo 83 años y que me encanta el arte en su expresión de música y poesía. Desde hace mucho tiempo le he querido escribir para enviarle una poesía que escribí.

AMPARO DOMÍNGUEZ VDA. DE PÉREZ
Tuxtla Gutiérrez, Chiapas

DE MADRE A HIJO

Flor que en mi vientre engendré
capullo de mariposa,
criatura tan indefensa
como lluvia en rosa.

Esta tarea de ser madre
colosal y traicionera,
llena de amor, amargura
y en esencia es duradera.

Quisiera yo adivinar
todos sus pensamientos
y encontrar una respuesta
a todas esas preguntas
que no he inventado yo.

Quiero explicarte ahora
que eres ya más maduro
que al llorar destrozas mi alma
y al reír, río contigo.

¿Cómo encontrar las palabras
que descifren ese vínculo sobrehumano
que existe entre madre e hijo?

Pues tu vida, hijo mío,
sólo es tuya, no lo olvides.
Y aunque quiera yo guiarla
no decido, ni la rijo.

Yo quisiera a ti evitarte
las luchas innecesarias,
y esos momentos difíciles
intentando ser tú mismo.

Mas es la ley de la vida
nacer de mí y no ser nadie yo
para interferir
en tu jornada divina.

¡Hijo mío, yo soy tu madre!
aquella que tanto adoras,
aquella que siempre está
dispuesta cuando la nombras.

Aquella que algún día
dejarás aquí, tan sola,
mirando cómo te marchas
en busca de ésa: tu sombra.

... El destino de ser madre
gratificante e ingrato,
es sin duda irrevocable
pues los hijos, ¡son prestados!

PATRICIA M. TORNELL
México, D.F.

ESCUELA DE LA VIDA

Mi madre me inscribió en la escuela de la vida
con el deseo de que fuera un niño sobresaliente,
un joven aplicado y un hombre sabio y brillante,
le fallé,
obstinadamente año con año la vida me reprueba,
sin embargo mi madre me sigue queriendo como
siempre.

CARLOS LÓPEZ MOCTEZUMA
México, D.F.

GRACIAS

Gracias que me tocó
una madre imperfecta;
y que mi vida respetó.
Nunca se me exigió
la decisión correcta.

Mi niñez fue bonita,
con tropiezos y errores,
con llantos, con halagos,
y para mi fortuna
sin muchos empalagos.

De verla aprendí a ser
una mujer de lucha,
arriesgar y vencer,
evitar ser mujer
de las que sólo escuchan.

Se me dejó ser libre,
tuve que madurar;
aprendí a amar la vida,
aprendí a perdonar.

Gracias por darme el ser.
Gracias por permitir
que me hiciera mujer.

YOLANDA PAREDES
México, D.F.

HIJO

Yo no te di la vida
para que tú la dieras por mí.

Te di la vida
porque yo quería ser madre.
Porque te quería querer.
Porque yo quería tener
una cuna que mecer
y un niño que adormecer.

Te di la vida
para enseñarte lo poco que sabía.
Para hablarte del Dios en que creía.
Para escucharte y ver cómo reías
y sentir junto a mí cómo crecías,
y con ello mi ego enorgullecía.

Te di la vida
para que un día como hoy, feliz me hicieras.
Para que un día como ayer te reprendiera.
Para que yo mañana te exigiera
que al enemigo de frente acometieras
y tus defectos a diario corrigieras.

Te di la vida
para que tú engendraras otras vidas.
Para que tú sin mí solo prosigas.
Si crees que algo me debes, ni lo digas.
Que con que mi recuerdo tú bendigas,
cualquier deuda que hubiera, tú liquidas.

ELSA PARRAO DE HOYOS
México, D.F.

ME QUEDARÉ EN USTEDES...

No me iré...
porque al cruzar el umbral
de nuestros sueños,
flotarán en el aire mis anhelos
como viento amoroso en su recuerdo.

Porque estaré a su lado,
hijos míos, cada día
cuando el divino sol
los corone de alegría
y la lluvia los bendiga
con su vida.

No me iré porque la tierra fértil
que sepulte mi agonía,
será acaso quien suavice
sus caídas...

Me quedaré en ustedes
como se queda presa
la emoción en los sentidos
cuando el cielo nos colma
con el calor de su abrigo.

Yo siempre estaré anhelante
en mi sincera poesía
cuando ustedes me busquen
y me lean algún día.
Y viviré en sus tardes
de grises melancolías

porque será mi llanto
quien los cubra de caricias.

Me quedaré en ustedes...
en sus almas y en sus días
porque serán sus vidas
continuación de la mía.

María de Lourdes Álvarez Paczka
San Luis Potosí, S.L.P.

QUÉ ES UN HIJO

Es un milagro que nació de un beso,
una caricia que se volvió flor,
es un latido que cuajó en mi entraña
y que luego... nutrió mi corazón.
Noches y noches, soñé con sus ojos,
en mis mañanas, escuché su voz,
y en el instante en que rasgó mi carne
le vi la cara... a Dios... y esto me dijo:
–"Dejo en tus manos mi mayor tesoro
de todo lo creado es lo más bello,
tú habrás de modelarlo
te lo entrego limpio y puro.
Será tu obra, pero no eres su dueña,
velarás porque siempre la sonrisa
sea el arma poderosa que utilice,
que no crezca en su alma la cizaña
del odio y la ambición,
y que la envidia no eche raíces
en su corazón.
Sé su guía, su sostén, no su verdugo
muéstrale con tu ejemplo su camino,
no te vuelvas su juez, él nació libre,
no traces con tus manos su destino.
Ni lo hagas víctima de tus fracasos
o lo envenenes con tu falsa gloria
déjalo que prosiga su camino
y que escriba también su propia historia.
Es muy dura la tarea, ardua y difícil, lo sé
pero tú me lo pediste y tu oración escuché,
a cambio estarás tan llena de ternura

de caricias y de besos
que ya verás cómo los días y los años
volando pasarán.
Eso es un hijo, un milagro hecho
de besos y amor.
Nunca olvides mis palabras
ya que eres madre desde hoy,
se han realizado tus sueños
y te doy mi bendición."–
Cerré muy fuerte los ojos
y apreté contra mi corazón
la maravilla del hijo
que me había entregado... ¡Dios!

ALICIA MONTOYA
México, D.F.

TE NECESITO

Te necesito
aun teniendo cosas bellas.

Te necesito,
porque sabiéndome dueña
siento el vacío que ha dejado
tu profunda sutileza.

Te necesito,
porque estando rodeada de detalles
y buenas nuevas
hacen falta tus manos
en todo el paisaje de mi sistema.

Te necesito,
aun teniendo sobre mí
la vida plena.

Te necesito,
simplemente porque eres
parte de lo que soy,
de lo que creo,
por lo que lucho
y pongo el alma entera,

porque soy lo que bordaste
por mucho tiempo
en nueve meses de larga espera,
porque vengo de ti,
y al traer tu mirada

llevo conmigo tu aire,
tu estilo, tu fortaleza.

Te necesito,
simple y sencillamente
porque eres mi fuente
y yo soy tu carne,
tu sangre,
tu tiempo,
tu casta,
tu flecha.

ALMA ROSA ALCÁNTARA MENDOZA
México, D.F.

TODOS LOS DÍAS

El 10 de mayo
no es mi día,
sino todos los días.

No soy una Madre abnegada
y no quiero ser
una madre callada.

Ya me cansé
de ver madres
con frente y manos arrugadas,
y por la responsabilidad
agobiadas.

Soy una madre realizada
y antes que madre
soy, mujer, amada.
Eso es lo primero para mí
porque sintiéndome así
estimada y valorada
puedo brindar
sonrisa y energía
y unos brazos abiertos a la vida
llenos de ternura
y mi voz segura
plena de amor
para dar a mis hijos luz y guía
"definitivamente"
el 10 de mayo
no es mi día.

SEPORI BINERI
Parral, Chihuahua

UN POEMA DIFERENTE

Yo nunca me enojo porque me mencionen
a mi progenitora con ira, por el contrario,
me hacen pensar en ella, recordarla con fuerza,
de una manera vibrante, que me llena
y me cimbra las sienes.

Pero sí me enoja que digan que tengo
muy poca porque, afortunadamente, mi madre
es llena, carnosa, acolchonada,
pesa 67 kilos y cada kilo
es una virtud.

Le sobra vigor, fortaleza, alegría, fe,
entrega, angustia, cariño, perseverancia,
sensatez, inteligencia,
le sobra amor.

Por eso con entereza soporto mucho
menos este insulto de tener muy poca
puesto que, por encima de todo, y con
mucho orgullo, puedo gritar que tengo,
por fortuna de Dios, mucha madre.

LUZ TERESA SANDOVAL
San Jerónimo, Guerrero

Poemas a los familiares

Yo le envíe un verso con el título de "Pregunta" y tuve la buena fortuna de que usted lo pasara al aire; la mala fortuna para mí, fue que yo no la escuché porque estaba internado en el Hospital de Ortopedia, pues me operaron de una rodilla de la cual gracias a Dios ya salí, y le juro que saber que usted la dijo en su programa fue la mejor terapia en los momentos más difíciles y dolorosos que pasé; por lo cual le doy las más infinitas gracias.

RAÚL TOBÓN MARTÍNEZ
Cd. Satélite, Estado de México

ABUELITO...

Paso quieto que armoniza
con tu mirada serena,
con tus palabras de sabio
que acrecientan mi torpeza.

Cuando te miro tan quieto
mirando pasar el tiempo,
mis anhelos se hace vida
y se diluye mi miedo.

En tus manos de trabajo,
siento el calor de tu cuerpo
que se escapa lentamente
como se escapa tu aliento.

Abuelito de mi vida,
yo soy parte de tu entero;
son tus brazos mis amarras
y tus años, mi sendero.

Nunca olvides que te llevo
prendido en mis pensamientos,
palpitante en mi mirada
y compartiendo mis sueños.

MA. DE LOURDES ÁLVAREZ PACZKA
San Luis Potosí, S.L.P.

A JAVIER... MI HERMANO

Mi beso prolongado, ¿o fueron tres o cuatro?
en tu sien que perdía calor
no pudo detener el frío.
No fue posible compartir el dolor...
era sólo mío.
Tampoco la muerte...
era sólo tuya.
Comenzaba el dolor.
Tu sueño tan tuyo, íntimo, imperturbable,
más real que tu sonrisa.
Intenté compartir mi vida contigo
y mis labios pegados a tu piel dolida
cada vez más tierra y silencio,
cada vez más ayer, más nada.
Quise beberme tu muerte,
masticar lentamente el silencio al que ahora perteneces.
Intenté negociar, te digo:
un poco de mi vida, por un poco de tu muerte
y un beso hermano sólo probó la sal del adiós.
Si los recuerdos fueran sangre y células nuevas,
si la ternura... si la ternura bastara.
Comenzaba el dolor,
con mi beso se fueron los restos de infancia,
en mis labios quedaron el asombro y la ausencia,
la ausencia en el aire como un sonido,
como llanto, como suspiro.

ARMANDO ARENAS CARAVEO
Cd. Juárez, Chihuahua

A UN PADRE COMPARTIDO

Sólo quiero decirte que comprendo,
que trato de entender lo que nos pasa.
Si me diste la vida, nombre y casa...
yo no debo juzgarte.
Sin embargo... papá, quiero entenderte;
explicarme el por qué de tus regaños
y de tu enorme amor que me conmueve.
Yo te he visto llorar...
y conozco tu furia y tus insultos...
y tu vida, que escondes de nosotros.
¡Pobre papá! ¡con tantos hijos!
Con tus manos gigantes y callosas
ganaste la comida y las caricias
que nos diste de niños...
y a escondidas nos brindas.
No hay reproches, ¡de veras! no hay
reproches.
Te quiero con ternura desbordada,
porque habiendo salido de la nada:
(quiero decir) sin un padre que te enseñara
a amar...
y a dar... y a hacer caricias,
tu mano siempre estuvo con nosotros.
Tu corazón partido en dos hogares.
Tú, que de niño no pudiste tener uno,
hoy te partes el alma
y yo escucho tu llanto.
¡Pobre padre!, orgulloso y humilde,
inteligente y tonto.

Siempre noble. ¿Y de trabajo?
¡Caramba, peor que un asno!
¿Sabes papá? ¡te admiro!
Te admiro de verdad
por ser tan Hombre.
Te entregaste de más...
te repartiste tanto.
Te recuerdo con prisa
y con miedo al escándalo.
No se puede vivir en dos hogares;
se reparte calor... se cosechan pesares.
Pero... ¿sabes papá? soy tus sueños,
tu sudor, tu alegría y tu cansancio.
Eres mi ayer... Y mis hijos serán
nuestro mañana.
Hasta entonces papá. ¡Te quiero tanto!

JUAN DE DIOS GUTIÉRREZ P.
Gómez Palacio, Durango

AL FINAL DEL CAMINO

La vida nos ha visto recorriendo el camino
uno al lado del otro, sin jamás desmayar,
siguiendo por la ruta que nos marcó el destino
apoyándonos siempre para no tropezar.

Nuestra senda no ha estado tapizada de flores;
hubo escollos y espinas que hirieron nuestra piel
mas disculpando siempre nuestros mútuos errores
apartamos lo amargo y saboreamos la miel.

Es a ti a quien yo debo mi más grande tesoro;
la dicha de ser madre y plenamente mujer,
porque también son tuyos mis hijos que yo adoro,
y que al correr del tiempo nos ven envejecer.

Eres áspero y duro, obstinado y violento;
mas tampoco yo he sido una perita en miel,
pero tienes un alma tan grande como un templo
y un corazón de oro que late a flor de piel.

Seguimos avanzando el trecho que nos queda;
cada vez más despacio, pero siempre a compás;
y rogamos al cielo para que no suceda
algo que en esta vida nos pueda separar.

Y aunque no se vislumbre a través del destino
ni una señal que indique que amaina el temporal,
confiemos que la barca, al final del camino
pueda al fin navegar en remansos de paz.

YOLANDA A. DE GUTIÉRREZ
Torreón, Coahuila

CUÉNTALE

Cuéntale
que antes que ella naciera
yo ya te arrullaba
en mis brazos
y enjugaba tus lágrimas
cuando llorabas...

Cuéntale
que cuando te enfermabas
yo velaba tu cuna
noche tras noche
sin descansar.

Cuéntale
que tu primera sonrisa
y tu primera palabra
fueron nada más para mí...
Que yo guié tus primeros pasos,
que yo te llevaba
de la mano a la escuela
para que aprendieras a escribir.
Y si algo te pasaba,
yo me moría de angustia...

Cuéntale
que cuando la conociste,
yo participé de tus sueños
y cuando te casaste,
quedó un hueco inmenso
en la casa

y yo me quedé muy triste,
pero no dije nada,
porque yo sabía
que ibas a ser feliz...

Cuéntale
que yo la quiero
porque tú la quieres,

Cuéntale, cuéntale
todo esto, a tu mujer...

ANNA PÉREZ DE BÉJAR
México, D.F.

CANTO A MI SUEGRA

¡Increíble! ¿Verdad?
Que a ti me atreva a cantar.
Con tal palabra que tus oídos
hace retumbar.

SUEGRA
¡Qué palabra tan recia, tan imponente!
¡Qué barbaridad!

Mas cuanta responsabilidad detrás de esa palabra hay.

–"Será posible que lo más grande mi ser
lo vea desvanecerse,
mi inspiración, ¡mi creación!
De mis brazos se escapa como nube fugaz,
acaso sabré adónde va...

Cuántos desvelos, cuántos anhelos,
cuán ardua labor.
Todo mi ser entregué.
¿Para qué?

Y qué más puedo hacer.
No sé si podré resistir.
Cuánto quisiera decir...
Pero un nudo cierra mi garganta
y sólo mi rostro una sonrisa puede mostrar
al oírte simplemente decir:
Suegra, ¿cómo estás?"–
Pues sí, SUEGRA MÍA,

aquí me tienes hoy
entonando tu canción.

Tratando quizás de comprender
por qué encierra la palabra SUEGRA
tanto dolor.

Pero yo te digo, Mi Querida Suegra,
¡Bendita seas!
Que mi respeto y admiración llevas
porque forjaste mi razón de ser.
Mi agradecimiento eterno irá contigo
por el simple hecho de parir
a quien siempre me hace sonreír.

Recibo, pues, tu valuarte más grande
para prolongar tu sangre.

Mas no pretendo perturbar tu lamento.
Simplemente alegrarte el momento,
ya que tu CANTO
es mi PROPIO CANTO.

MARTHA ERDMANN DE RÍOS
Atizapán, Estado de México

COMO UN RECUERDO PARA TODOS MIS HIJOS,
CON MOTIVO DE NUESTRAS “BODAS DE ORO”

Por azares del destino
nuestras vidas se cruzaron
emprendimos el camino
y así, dos almas se amaron.

Fue el año cuarenta y dos
si es que no me encuentro fallo
nos salpicaron de arroz
un día nueve de mayo.

Con desbordante alegría
entre amigos y parientes
celebramos este día
nuestra boda entre mil gentes.

Fue sublime nuestro amor,
fue sublime todo aquello,
nos amamos con fervor
fue tan lindo, fue tan bello.

Afrontamos y vencimos
muchas penas y amarguras,
hicimos de todas ellas
alegrías y dulzuras.

Sucedió lo natural
abrió plaza una pequeña,
después fue como un caudal
se destrampó la cigüeña.

Ocho fueron los pequeños,
ocho angelitos del cielo,
todos lindos, muy risueños,
los que cuidamos con celo.

Los años quedaron lejos
todo parecía tan lento,
pronto nos hicimos viejos
en tanto que te lo cuento.

Los años nos consumieron,
la vida se fue acabando
y los hijos que vinieron
cada uno se fue alejando.

Por los años que han pasado
tu pelo cambió de tono
ahora luce plateado
cómo fue, yo no sé cómo.

Cincuenta años... ¿bodas de oro...?
¿cómo llegamos mi amor...?
palabra que aún te adoro
con aquel ferviente amor.

La emoción me hace exaltar
cuando reflexiono lloro
¿cómo pudimos llegar
a celebrar bodas de "oro"...?

Cincuenta años han pasado
desde aquel feliz momento,
ya mereces, lo he pensado,
un muy alto monumento.

Te lo haremos al azar
de granito o mármol fino,
que no te vuelva a alcanzar
tu marido tan ladino.

Damos gracias al creador
por la gracia concedida
que vivamos con amor
y con nuestra fe encendida.

Ya al final de la jornada
los años nos consumieron,
de aquello no queda nada
las ilusiones murieron.

Nuestra bendición a todos
hijos, nietos y parientes,
trátense con buenos modos,
trátense como la gente.

Y para mi adorada esposa
mi profunda gratitud,
fue la mujer más hermosa
adiós juventud... adiós.

ANTONIO NUÑEZ MEJÍA
San Luis Potosí, México, D.F.

EL NIÑO DEL TRAILERO

Llévate mi abrazo
colgado del cuello
como escapulario
por todo el camino.
Sentirás mis brazos
apretarte mucho,
con tanto cariño
que hablarás conmigo.

La jornada es larga,
y tantos los peligros
que me aterra el miedo
de quedarme solo.

Cuídate, papito,
y llévate mi abrazo
colgado del cuello
como escapulario
por todo el camino.

FRANCISCO C. MARTÍNEZ
Fortín de las Flores, Veracruz

PARA MI AHIJADA NINFITA
EN SUS 15 AÑOS

Eres como un botón que en primavera
abre sus pétalos hermosos a la vida.
Eres ahora quien confía y espera,
quien sueña, quien anhela, quien suspira.

Eres como la mariposa o como el ave
que inicia apenas su inseguro vuelo,
y quiere volar alto mas no sabe
cómo elevarse en el azul del cielo.

Hoy quiero aconsejarte, porque eres
o yo te siento cual si fueras mía.
Enséñate a esperar, no desesperes,
enséñate a vivir con alegría.

Enséñate a robarle a la tristeza
unos minutos y sonríe valiente.
No te dejes vencer, ahora empieza
un camino difícil casi siempre.

Una senda que va con tu destino
y ahora se te ofrece venturosa,
pero no te confíes, en el camino
habrá espinas ocultas en las rosas.

Labra tu porvenir y tesonera
lucha por alcanzar lo que tú anheles, no esperes.
Trata de conquistar lo que tú quieras
disfruta lo que gustas o prefieres.

Son mis consejos que con la experiencia
tomada de la vida en mucho tiempo
he logrado saber, y es una ciencia,
saber cómo vencer al sufrimiento.

ISABEL DEL CARMEN ARMENTA ORTIZ
Carranza, Veracruz

QUIERO DECIRTE

Hemos vivido toda una vida juntos...
y nunca he podido decirte:
¡cuánto, cuánto te he querido!

Recién nos casamos,
fueron llegando los hijos...
y compartí contigo y con ellos,
cariño y cuidados;
luego la rutina
me atrapó en sus redes...
y la vida siguió su camino.
Y nunca pude decirte:
¡cuánto, cuánto te he querido!

Hoy la casa está silenciosa,
los hijos se han ido
ven a sentarte conmigo,
platiquemos, recordemos cosas
y hablemos del tiempo ido.
Porque hoy si podré decirte:
¡cuánto, cuánto te he querido!

ANNA PÉREZ DE BÉJAR
México, D.F.

SER ABUELA...

Ser abuela es chocolate
un cajón con mil tiliches,
un armario con tacones,
diez vestidos en el closet,
un sinfín de tentaciones.

Diez ojitos centelleantes
sobre el frasco de bombones,
diez patitas caminando
con bombines y bastones.

Diez manitas esculcando
y asaltando los cajones.

Una abuela renegando
pero al fin consecuentando
siete nietos que en tropel
a su paso van dejando
una casa a componer
y las mamás... nomás mirando.

No contentos hacen tango,
todos quieren escalar
y se suben a la abuela
pa' ganar un buen lugar.

Hoy los cuentos de abuelita
como que no les entalla,
sólo quieren escuchar
chistes pasados de raya.

La abuela haciendo un balance
se pone a reflexionar
si la llegada, o la ida
le da más felicidad.

DR. EFRAÍN ARANDA TORRES
León, Guanajuato

UN HOMBRE EXTRAORDINARIO

"PAPÁ" fue la primera palabra que dijeron mis labios, y gateando primero, después con torpes pasos te seguía hasta el aula donde impartías tus sabios consejos a esos chicos deseosos de saber. Me enseñaste con mucho amor mis primeras letras, iluminaste mi mente con la luz del conocimiento y penetraste a mi espíritu, sensibilizándolo.

Tu palabra, tu gesto, tu actitud, fueron ejemplo ennoblecido en la formación de mi personalidad y de mis hermanos.

¡PAPÁ! No me dejaste compensar, siquiera en mínima parte, todos tus sacrificios, toda tu entrega a nuestro hogar. Te marchaste sin decir adiós, cuando apenas florecía lo que sembraste.

Si me escuchas en algún lugar, sabrás la infinita tristeza que embarga mi alma.

Nunca te dije que eras un hombre extraordinario, pero te lo dijo mi actitud y mi ternura de siempre.

PAPÁ, te quiero tanto que repetiré por doquier:

¡PAPÁ FUE UN HOMBRE EXTRAORDINARIO!

LIDIA SALAZAR
Matamoros, Tamaulipas

"Y QUEDÓ PENDIENTE TODO"
A SU ESPOSO GUILLERMO PÉREZ VERDUZCO

Te has ido sin más, ni más,
sin darme un abrazo,
sin darme ni un beso,
tan sólo fue una leve sonrisa
y quedó pendiente todo...
juegos, riñas y puestas de sol.

Te alcanzaré y robaré de nuevo tu corazón,
nuestro amor no quedará colgado
de un instante eterno...
Y todo, todo lo que pendiente está
se nos concederá.

Tomaremos las estrellas;
que son lo que más cerca desde aquí veo
y que despiertan en mí grandes fantasías.
Te haré un bello mar o una bella hamaca,
¡o que sé yo, cuántas cosas pueda más!

Las aventaremos mucho más arriba aún
a ver quién recoge o alcanza más;
después las limpiaremos en algún cercano mar,
de no ser así, renovaremos su brillo con tu suspiro.

Más tarde las pondremos todas en su sitio,
de tal manera que no note ningún desorden Dios.
Volaremos y recorreremos miles de caminos;
¡serán fascinantes y con mágicos lugares!

Iremos tomados de la mano,
sintiendo mutua fuerza, mutuo apoyo, mutuo amor.
¡No quedó pendiente nada!, pues lo nuestro continuará,
¡seguirá mi viejo lindo!, pues por fortuna,
el permiso de Dios ¡ya dado está!

SRA. MARÍA GUADALUPE HERNANDEZ VDA. DE PÉREZ VERDUZCO

Poemas feministas

Querida Susana:

Soy una mujer de 40 años dedicada desde hace 20 a ser madre, sin tener mucho que diera un cambio en mi vida.

En alguna ocasión la escuché decir cuán valiosa es la vida para la mujer que se quiere a sí misma. Fue cuando decidí escribirle y el día que supe que había leído mi poema me sentí grandiosamente importante, tanto que después de 20 años decidí trabajar, hoy tengo un empleo en el cual me volví a sentir útil y renació la mujer que hacía tiempo no existía en tal plenitud. Me puse a dieta y baje 12 kilos, mi apariencia cambió y mi espíritu se engrandeció. Hoy he vuelto a sentir algo increíble con el hecho de involucrarme en este libro, pienso que vale la pena la vida si en algún momento tiene estos detalles.

DINORAH R. BALLEZA
Coyoacán, México, D.F.

AGUA MANSA

Yo nunca seré
agua mansa,
serena, tranquila,
agua de estanque,
cautiva,
agua que limita
una vasija...
soy agua de río
que canta y que corre
y tiene prisa
de llegar hasta el mar...
no soy suave brisa,
soy viento que arrasa
y a veces,
hasta un huracán...
nunca
llama de cirio
pequeñita y temblorosa,
yo soy flama,
lumbre que quema...
no soy melodía
dulce y tierna,
soy una canción bravía
que grita y que canta
yo soy así
y nunca seré
simplemente,
agua mansa...

ANNA PÉREZ DE BÉJAR
México, D.F.

AMA DE CASA

Porque soy ama de casa
desprecias mi condición...
Olvidas que por amarte
ésa fue mi profesión
y de ella me enorgullezco:
Gracias a mí tú has tenido
un hogar bien cimentado
aunque lo hayas olvidado.

Por mi gran amor hoy tienes
hijos que te han respondido,
porque yo estuve pendiente
de su enseñanza y su fe...
Tú nunca has tenido tiempo.
Te han absorbido tus cosas.
Llegas cuando están dormidos,
fatigados de esperarte...

Cuando te veía llegar
con el fracaso en las manos,
dime quién te impulsó entonces
a convertir tus derrotas
en triunfos y curó siempre
—sin ser doctor— tus heridas
y acalló todas sus ansias
para no mortificarte...

Tienes razón... No he tenido
título universitario.
Me tocaron otros tiempos,
otra etapa, otras costumbres.
No me tocaron los tiempos

de pañales desechables,
de alimentos envasados
ni estudios complementarios...

Lavé y planché con cariño
miles, miles de pañales,
cuya albura comparaba
el amor que te tenía;
y mi tiempo, todo entero,
me lo pasé preocupada
pensando de qué manera
el presupuesto ajustara.

Hoy desprecias mi figura,
porque al paso de los años
fui perdiendo la esbeltez
y mi pelo ha encanecido...
¿No te devuelve el espejo,
cada mañana al mirarte,
la imagen de algo distinto
a lo que fueras ayer...?

Ama de casa tan sólo
dice la ficha del censo...
Y agregarle no he querido
que también he sido novia,
esposa, doctora, amiga,
maestra de economía,
promotora de ilusiones
e impulsora de victorias...!

ROSINA G. DE ALVARADO
Gómez Palacio, Durango

ASÍ COMO SOY

Así como soy, tan emotiva,
con residuos de niña consentida,
así como soy, escandalosa,
te amo a ti sobre todas las cosas.

Así como divago con la mente,
así de torpe soy constantemente.
De creída, de ingenua, lo indecible,
así de simple... soy incorregible.

Abordo la nube que pasa en mi mente
y en cuanto te percatas, me bajas fácilmente.

Anhelo vivir bien sin tanta condición,
deseo simplemente vivir en la pasión,
entre risas y versos la armonía buscar
y metas imposibles tratar de conquistar.

"No eres igual al grueso de la gente"...
así lo dices tú, "soy diferente".
¿Por qué seré así?, es una pena
que yo no quiera ser como tú esperas.

En carne viva siento este dolor,
mi corazón pedía que me amaras así como soy,
ingenua yo pensé que me amabas cual soy,
¡que desvarío!... ¡Qué pobre condición!

Amarme así tal como soy...
no puedes, yo lo sé... ¡No tienes el valor!
Es necesario amar tan ciega y locamente como yo
¡para vivir amando eternamente!

ANABELLA CASSALE
México, D.F.

ÉSTE ES EL HOMBRE

Éste es el hombre que yo elegí
para amar, respetar y ensalzar.
Éste es el hombre que yo elegí
para vivir, compartir y seguir
adelante de frente siempre.
Para apoyar en tiempo mal
y juntos estar en tiempo bien.
Éste es el hombre que yo elegí.
El que los hijos me ha de dar
y juntos de la mano andar
para amar, soñar y disfrutar.
Éste es el hombre que yo elegí
al que he de hacer y me ha de
hacer respetar ¡al que dignamente por amor
sabré representar!
Éste es el hombre que yo elegí.
¡Dios aquí está! Gracias a ti junto a mí
por todo el tiempo que tú me quieras dar.
Éste es el hombre que yo elegí.
Al que no le importa apariencias dar
porque sencillo y humilde es su mirar.
Sin mayores pretensiones que ayudar a
quien lo necesite o sólo dar su amistad.
Es transparente como agua limpia.
No esconde nada, para qué buscar.
Acepta sus errores y trata de cambiar.
Es dócil, manso, tierno de corazón.
¡Es un pan!
¡¡Éste es el hombre que yo elegí para amar!!

VERÓNICA C. TROYA DE NAVARRO

HOMBRE

Gracias,
sí, a ti,
a ellos,
a todos,
a los que son:
seres humanos
y se comportan como tal
porque ya no existen.

Hay
corruptos,
lujuriosos,
mentirosos,
arbitrarios,
abusones,
galanes con
cara de corderos
y corazón de asno,
engañando,
sacrificando,
burlando;
gracias a ti
que no estás
en este concepto,
que no cupiste,
en estas líneas
a ti que te
saliste de esta fila,
gracias
por ser honesto,
humano,
sencillo,
gracias por
ser hombre.

PROFA. PATRICIA SECEÑAS ÁLVAREZ
Cd. Lerdo, Comarca Lagunera

INTRODUCCIÓN

Soy una mujer como cualquier otra;
llena de ilusiones,
en busca de la felicidad en plenitud,
en busca de sí misma como eterna dirigente
de su existencia.
Soy caudaloso río abundante en dudas
e inquietudes;
expuesta a la calidez del sol y al frío
de la noche,
palpable a quien se acerque buscando mojar
sus manos con la humedad de mi cauce.
Me inmiscuyo libremente en la estrechez y amplitud
de la tierra, y eludo detenerme ante rocas
imprudentes.
Soy una mujer como cualquier otra;
un ser humano que se eleva en espíritu
y se transporta de nación en nación,
para quien no existen ni espacio ni tiempo.
Amo la belleza de las flores;
temo a la incertidumbre y al silencio,
lucho por vencer mis limitaciones,
acaricio la idea de permanecer absorta
ante el milagro de vivir
y me extasía encontrarme aquí y ahora
dándoles lo que soy: tan sólo una mujer,
como cualquier otra.

PATRICIA M. TORNELL

¡Qué tal niño, bienvenido!
Soy la misma que escribía
a principios de diciembre, una carta en que pedía
todas esas cosas bellas
con las que sueñan los niños,
la misma que se dormía
desde las seis de la tarde
creyendo que así más pronto
al portal arribarías...
La misma que años más tarde
—ya sin carta de por medio—,
se llenaba de ternura al mirarte en el pesebre;
y con vehemencia rogaba
que alguna vez me trajeras
el amor con que soñaba, aquél que en mí despertara
la ilusión y la pasión y se tardaba en llegar...
La misma que coronada de azahares y velo blanco,
vio realizado su sueño y que acunó entre sus brazos
los frutos de aquel amor... Que el corazón repartiera
en pedacitos iguales,
la que ha luchado sin tregua,
aun rendida de cansancio, por una vida mejor...
La misma que en todo tiempo va derramando sonrisas,
la que saca su pañuelo para enjugar otros llantos
y oculta su desconsuelo y su inmensa pesadumbre,
la que templó su carácter a golpes, como el acero,
y ha proyectado una imagen de fuerza y de reciedumbre...
Soy la misma soñadora, siempre optimista y alegre,
la que si halla una herradura, sale a buscar el corcel,
la que tras de la tormenta busca afanosa en el cielo

siete colores de un arco; y en la fealdad de una oruga
espera que de repente brotará una mariposa...
Soy la misma todavía, la que se complace en dar
sin esperar recompensa, la que ya no escribe cartas
porque al paso de los años, aprendió que en todo instante
debe llevarse en el alma, un portal para esperarte
y un pesebre en donde nazcas cada día en el corazón...

ROSINA GUERRERO DE ALVARADO
Gómez Palacio, Durango

NO ME QUIERAS CAMBIAR

Queriéndome cambiar, has pasado la vida,
qué difícil ha sido luchar ambos así,
no he podido aceptar este choque de ideas, sin embargo
yo siempre te quiero igual, no importa cómo seas.

No me quieras cambiar, ¡soy imposible!
emotiva, bohemia, un tanto incorregible,
soy inquieta, nerviosa, muy sensible
y muchas cosas más.

Si digo blanco, tú negro,
si tengo frío, tú sientes el calor,
yo gusto de la gente y tú eres solitario,
y mil de divergencias entre tú y yo.

No me quieras cambiar, no tiene caso,
cada uno en la vida debe llevar su paso,
tu misión y la mía ambas son diferentes.

Con todos los bemoles de este asunto
nunca con este amor has podido acabar,
¡quién sabe de que forma querías que te amara!
no he llegado a saberlo, ¡qué pesar!

No me quieras cambiar, es un fracaso
porque nunca seré lo que otro quiera,
me pudiste cambiar a los dieciocho
a los cincuenta, amor... ¡No tiene caso!

ANABELLA CASSALE
Aguascalientes, Aguascalientes

PROSA PARA UN POEMA
(DEDICADO A TODAS LAS MUJERES DEL MUNDO)

Ser mujer es camino interminable
El tiempo breve, azaroso el viaje,
canto sin voz, o voz que a veces canta,
lágrima oculta a solas derramada.
Sonrisa, entrega,
oasis, llama.
Sartén, aguja, escoba.
¡Hasta cuándo, señores, hasta cuándo!
Esto de ser mujer me va cansando.
Es como estarse yendo sin marcharse,
extranjera en la tierra,
ciudadana de un mundo atormentado,
despojada de bienes de justicia,
Eva ultrajada sin saber porqué.
Esposa y madre, es como decir alcoba sin ventana,
lágrima sin pañuelo, voz sin eco,
marea sin luna y volcán sin lava.
¡Anhelos inconclusos! ¡Hasta cuándo señores!
Esto de ser mujer me va cansando.
Difícil concentrarse en cualquier cosa
con veinte interrupciones por minuto.
¡El cartero, mamá, te llegaron cartas!
Los niños corren y los perros ladran,
el niñito se rompe las narices,
la niñita frenética lo abraza,
timbra el teléfono, se derrama el agua.
¿Y el poema?
Es barco que naufraga.
ADEMÁS:

Una debe ser correcta y abstracta
madera bien tallada, lindo traje
rostro de ángel, pierna bien torneada,
acomedida, cortés, atenta, urbana,
sexual, voluptuosa, apasionada,
bailar disco, flamenco, jazz, joropo
y recordar las fábulas de Esopo.
Ser graciosa, ser fiel,
ETERNAMENTE JOVEN y sosegada.
Ser su reina (sin trono) y ser su esclava.
La niña de sus ojos y su almohada.
¡Hasta cuándo, señores, hasta cuándo!
Esto de ser mujer me va cansando.

ROSA ELVIRA ÁLVAREZ

QUIERO VIVIR

Soy como raíz del tiempo
que rasga las entrañas siderales
para subir al sol de las edades.
¡Quiero vivir! ¡Quiero vivir!
Ya basta de dormir en el capullo
de sedeña crisálida;
ya basta de elevarme en humo
si se retuerce el fuego
en mis entrañas,
subiendo a gritos
con fulgor de llama.
¡Necesito vivir! ¡Quiero vivir!
Siento romperse con ramajes nuevos
un canto de alborada
y subir como savia por mis hojas
el fuego de mil ansias.
Quiero rasgar mi piel en horizontes
que iluminen mi tarde,
despertar el enjambre de pasiones
que perfuman mi carne
y con la miel dorada de panales
calmar mi sed y mi hambre...

hambre de siglos, de doscientas edades,
que se me irán fundiendo gota a gota
entre tus recias manos de oficiante.

MARTHA ENRÍQUEZ
Chihuahua, Chihuahua

SOY UN SER, MITAD PÁJARO, MITAD MUJER

Soy un ser, mitad pájaro, mitad mujer.
Soy feliz, mitad por mi vida, mitad por ti.
Vivo al viento, dejando atrás lloro y lamento.
Soy mujer, mitad hiel y mitad miel.

Soy caricia que latente voy a la deriva
Soy pecado, que en cualquier pecho viviré
guardado.
Soy otro nombre, que no dirás por ser el de
tu amante.
Soy otro cuerpo, que en tu cuerpo y mente
estoy viviendo.

Vine al mundo con defectos muchos, sentí
perder mi juventud, mi mundo, y desperté en mí a
la mujer dormida, que en mi cuerpo necesita
caricias.

Vivo al viento, dejando atrás lloro y lamento.
Soy un ser, mitad pájaro, mitad mujer.
Soy lo que soy y lo que quiero ser.
Soy en la vida con orgullo toda una mujer.

AURORA SORIA FRÍAS
Guanajuato, Guanajuato

UNA MUJER

No quiero que me pongas etiquetas
ni soy pura, ni soy buena,
sólo un ser humano que sueña.

No quiero que me pongas etiquetas
ni soy tu esposa o tu amiga,
ni tu juguete nuevo,
sólo soy yo
y no traigo instructivo
así no sabrás desarmarme
ni cómo desactivarme
no sabrás por dónde llegarme
la ventaja está conmigo.

No quiero que me pongas etiquetas
no soy la madre o la hija de tal,
no soy sumisa o cualquiera,
sólo soy yo,
y no traigo refacciones,
si me malgastas te quedas tirado,
varado solo en el camino
sin alimento, mi amigo
porque de todo lo que te encuentres
en este mundo, cariño,
soy lo mejor
y soy única, mi amor.

PATRICIA CALVILLO CASTILLO
Saltillo, Coahuila

Y LA MUJER SE CANSÓ

De trabajar sin cesar,
de limpiar y cocinar,
de acostarse siempre tarde,
de paga sin apreciar,
de trato sin valorar,
de esperar lo inesperado,
de anhelos estrangulados,
de sueños desbaratados,
de llorar sin esperanza,
de vigilias y de esperas,
de relojes atrasados,
de incomprensión y tristeza,
de gestos y de rudeza,
de miradas sin cariño,
de rutinas interminables,
de modelar lo incambiable,
de palpar lo irremediable,
de alcanzar lo inalcanzable,
de falta de afinidad,
de amar sin correspondencia,
de la falta de atención,
de desear y sollozar,
de falta de dialogar,
de forjar sueños al aire,
de que éstos se desbaraten,
de volver a construir,
de esta generación,
de que no hay renovación,
de que la vida es la misma,
de ser la que siempre entiende,

de las mismas ataduras,
de los prejuicios tan viejos,
de las normas tan obtusas,
de las leyes inclinadas,
de la palabra ladeada,
de falta de libertad,
de las mentes tan cerradas,
de no poder crecer juntos,
de entender sin que la entiendan,
de perdonar y olvidar,
de volver a empezar,
del egoísmo del hombre,
de volver a sembrar,
de esconder los sentimientos,
de ocultar lo verdadero
de ir siempre caminando y
de seguir buscando,
de dolencias y bochornos,
POR FIN...
se cansó de respirar.

CONCEPCIÓN L. DE VALLES
Parral, Chihuahua

YO SÉ QUE VIVO PORQUE LUCHO

Yo sé que vivo porque lucho
y de las caídas en la lucha
me levanto,
que caigo ¡sí!
mas no me importa porque mis ojos ya no tienen
el amargo llanto.

Sólo la luz del amor
y yo me amo
y puedo ser capaz
de sonreírle al dolor
y convertir mis lágrimas
de angustia
en lágrimas de amor
y mi gemido en canto.
Vivo, lucho, sufro,
me acepto como soy
así me amo.

En esa lucha y en esa
calma
saboreo mi paz
cuando logro tenerla
y lucho por ella
y puedo ser capaz,
lo sé, de detenerla
mas no sé cuánto.

No me importa la caída
serán mil veces, no lo sé

puedo enfrentarme a ella.
Puedo luchar contra mi
propia huida
y transformala en experiencia bella.

Dame tu mano, Señor
suave y serena
quiero vivir contigo en mí
en esta vida de lucha
consciente y plena
de no haber lucha junto a ti.

MARCELA LAMOTHE
Fortín de las Flores, Veracruz

Poemas a México

Por motivos de salud, no había podido agradecerle, cuando dio a conocer el trabajo que le envié.
Supe de esto porque recibí llamadas locales y de larga distancia, felicitándome; esto me hizo sentirme muy feliz y animado a seguir, implorando mi inspiración.

LIBRADO ESPINOZA ZÁRATE
México, D.F.

ANÉCDOTA CON MIS SÍMBOLOS PATRIOS

Estudiando seis años en el extranjero
y sin visitar México mi país
les contaré, que una vez estuve presente
en una ceremonia nacional de aquel extranjero país.
Me sentí pasivo al mirar y observar a la gente
haciendo honores a sus lábaros patrios
la marcha de su bandera
y el entonamiento de su himno nacional.

Yo respetuosamente me comporté
deseoso estaba de ver mi bandera
y de cantar mi himno nacional
con las ganas me quedé, a mi departamento regresé

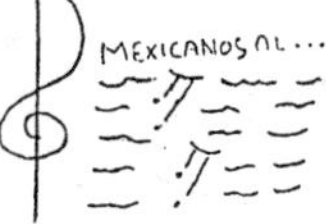

al llegar un amigo extranjero encontré
me dijo, amigo mexicano visité tu país
si no me crees, esta moneda es de tu país
la tomé y la miré, de un lado un héroe nacional
del otro mi escudo nacional.
Al ver esta moneda, una idea se me ocurrió
tomé un pedazo de papel, éste sobre la moneda
del lado de mi escudo nacional y bien centrado
con lápiz lo calqué, mi escudo se formó.

A sus lados coloreé de verde y rojo
y el lápiz como asta lo coloqué
mi bandera mexicana se formó
en posición de firmes me coloqué
con la mano izquierda alcé mi bandera
mi mano derecha en mi pecho saludando la coloqué
mi amigo calló, y yo en mi posición
entoné mi himno nacional
canté lleno de emoción

lágrimas de mis ojos empezaron a caer
me sentí más mexicano
mis deseos se cumplieron
mis símbolos patrios yo los tenía
mi bandera en materia y mi himno en memoria
sí, mis símbolos nacionales de mi México
y de México soy yo, ¡viva México!

RENÉ EDUARDO CRUZ ORTIZ
(LA RANA DE JOJUTLA)
Jojutla, Morelos

MÉXICO

México es tu gente,
suspiro, canto, dolor,
alegría, plegaria y amor.

México es tu valle
un nidal de amor
que al indio cobijas
cual fiel servidor.

Tus montes nevados
que ansiosos se elevan.
Tus hombres de bronce
tan nobles y fieros.

Tú hueles a maíz, caña y azahar
a pulque, tequila y mezcal,
a vainilla, cacao y piña
y a baños de temazcal.

Eres una gran nación
tus tradiciones místicas
y tu gran folklore,
tus majestuosas pirámides,
tu respetuoso candor.

Tus danzas aztecas,
saraos y tertulias,
día de muertos, charrerías,
serenatas y las ferias.

Tu cocina sin igual,
tamales, mixiotes, molito,
barbacoa, nogadas, cabrito,
carnitas, pozole, mezcal.

Tus mujeres mexicanas,
zapotecas y adelitas,
jarochas y guarecitas,
chamulitas y tehuanas.

Tú tienes mi México
unos cielos tan radiantes, unos mares cautivantes
y un escudo sin igual, que por siglos ha de verse
¡EN LA ENSEÑA NACIONAL!

GLORIA SALAZAR HERNÁNDEZ
Cuautitlán Izcalli, Edo. de México

México:
Hemos convivido juntos durante 60 años y si te escribo ahora esta carta es porque aún te quiero. Cualquiera creería que después de tantos años de convivencia, el nuestro es ya un estado perfecto, una unión que ha sobrepasado todo, pero... ¡Tengo tantas quejas de ti! ¡Han sido tantas las decepciones que me has clavado como espinas en el corazón! ¡Es tanto lo que debo reprocharte, tanto lo que ya no puedo callar más!

Cuando te conocí eras maravilloso. Esa fue la razón que me hizo quererte tanto y entregarte mi amor desinteresado. Te admiraba. Te veía tan tranquilo, tan puro, tan ambicioso y con tantas ansias de crecer. Y comenzaste a hacerlo. Primero, mi amor tan enorme no me dejaba ver si estabas ya cometiendo errores en esa época de nuestros primeros años, pero después, con el transcurrir del tiempo, tu cambio fue notorio. ¿Qué fue exactamente lo que te sucedió? Te engrandeciste, sí. Creciste, pero sin medida. Te volviste populista, tú que siempre hablaste de democracia y que con sangre decías haberla obtenido, te convertiste en monolítico. Comenzaste a rodearte de amigos, no siempre los convenientes pero que te aplaudían todo por complicidad y conveniencia. Tu actitud comenzó a cambiar. Me quisiste convencer que tanta gente a tu alrededor era lo máximo, lo bueno, lo sensato, pero sin embargo, comenzaste a arruinar nuestro espacio. Con tus ideas, renovadoras para ti, pero egoístas al fin y al cabo para los que te rodeábamos, comenzaste a creerte mucho, te volviste prepotente, omnipotente, y en tu vanidad no te fijaste cómo lastimabas mis sentimientos. En tu ceguera, alabada por tus cómplices, arrastraste contigo sentimientos y confianza, y todo a nuestro alrededor se convirtió en desorden, corrupción, inseguridad, basura. ¡Cómo sufrí cada día más con tus dizque cambios benéficos y cuánto deseé que reflexionaras y comprendieras que aquella paz que me brindabas estaba llena de obstáculos que se interponían cada vez más entre nosotros!

Y lo peor, te volviste mentiroso, me ocultaste muchas cosas, muchas, convirtiéndote en cómplice de los que estaban dispuestos a arruinar nuestra vida juntos y a separarnos. Te volviste violento, y lastimaste mis sentimientos, mi orgullo de pertenecerte, al grado de que con todas las fuerzas de mi alma deseé abandonarte, huir, dejarte para siempre y terminar contigo. No saber nunca más nada de ti.

Pero a pesar de todo, en mi interior, anhelaba que fuera yo la equivocada, convencerme que estabas en lo cierto y que el camino que trazabas cada día era el mejor, y día con día renovaba mi esperanza de que reflexionaras a tiempo y volvieras a ser mi amado, que te dirigieras a mí con sinceridad, que todos los planes presentes y a futuro fueran verdaderamente para fortalecer nuestra relación, para que yo continuara admirándote y amándote incondicionalmente.

Y sin embargo, un día se interpuso entre nosotros una mancha de sangre. La violencia, en la más brutal de sus formas nubló nuestra relación. Y tú, no supiste explicarme lo sucedido. Callaste y confiaste en que, por mi enorme amor, volvería una vez más a perdonar, incluso el hecho de que ahora, para aumentar mi dolor, andabas mezclado con las drogas.

Y sin embargo, aunque siento que algo entre nosotros se ha roto para siempre, nunca he perdido la esperanza de que rectifiques. Mi fe en ti es tan grande que sueño con que vuelvas a ser, si no el mismo, si uno mejor de lo que eres ahora.

Y aunque a ti no te importe conservar nuestra unión, yo sí estoy convencida que no puedo abandonarte, que siempre seré tuya y continuaré a tu lado, creyendo en ti, admirándote, apoyándote, suceda lo que suceda, porque... ¡Ay, México!... ¡Cuánto te amo!

Tu amada ciudadana,

ELLA GEDOVIUS
México, D.F.

MI TIERRA

Muy orgullosa
y con la frente altiva
doy gracias al cielo
por mi tierra querida.

Y con mis manos
rasguño, rasguño mi tierra
aunque se agite mi vida,
aunque se sangren mis puños.

Y muy dentro de mi ser
bendigo mi tierra
que con cariño
me vio crecer.

Y mi alma se engrandece
al ver
los inmensos campos
que lindos florecen.

Y con mis lágrimas
que destilo de una en una
rocío mi tierra
que es mi fortuna.

Y el corazón se me hincha
de tanta alegría
porque en todo el mundo
mi tierra es querida.

Y como toda mujer
me muestro muy ufana
viendo el amanecer
de mi tierra mexicana.

Así cariñosamente
con ella tengo contacto
algún día viviré
en el eterno camposanto.

Dormiré tranquilamente
y mirando el infinito
le daré gracias a Dios
porque me regalara
de mi tierra un pedacito.

MARLENE CASTLE
México, D.F.

Poemas varios

Susana, aquí le mando algunos poemas, ojalá que le gusten, a mí me encanta escribir poemas soy muy imaginativa.

MARÍA DE JESÚS BERMEJO MAGDALENO
Cd. Juárez, Chihuahua

BIEN VALES LA PENA, VIDA

¡Claro que vales la pena!,
por un lindo amanecer,
por una puesta de sol,
por una noche serena.
Porque existe una familia,
y si no, una amistad buena,
porque un niño se sonríe,
¡claro que vales la pena!
Si alguien vive como suyo
un ajeno sufrimiento,
si se siente por los padres
amor y agradecimiento.
Por un rato de ternura
que se ofrece al ser amado,
aunque sea de vez en cuando,
vida, eso es tiempo bien empleado.
Porque al fin me has enseñado
a no beberte de prisa
y aceptarte como vengas
al mal tiempo: una sonrisa.
Y mira quién te lo dice,
quien intentó falsa huida,
pero hoy que yo ya sé amarte,
bien vales la pena, vida.

YOLANDA PAREDES
México, D.F.

CARTA

Con esta fecha y me da mucho gusto decirlo estoy cumpliendo, mis primeros cincuenta años.

Algún amigo me decía ¿Cómo te atreves a celebrarlo?, ya nos estamos haciendo viejitos, no es para festejar, sino para lamentarnos. No estoy de acuerdo y usted, creo que pensará como yo.

No estoy de acuerdo porque en estos cincuenta años, muchas personas como yo, conocidos y desconocidos, ya no están, yo soy, en cierta forma, un sobreviviente.

No estoy de acuerdo porque el paso de los años trae muchas cosas buenas; perdemos algo, es cierto pero ganamos mucho. Perdemos cabellos, pero ganamos ideas. Perdemos tersura de la piel, pero ganamos reciedumbre y resistencia; nuestra piel dura, agrietada y surcada de arrugas resiste mejor el viento y el frío, la lluvia y el calor.

Vemos menos, pero miramos más, podemos disfrutar plenamente de la luz y el cielo y el arco iris.

Oímos menos, pero escuchamos más; por encima del ruido de todos los días, escuchamos el cantar del ave, el murmullo del viento, la caricia de la voz de la persona amada.

Tenemos menos agilidad, pero más habilidad; las destrezas que vamos perdiendo en el camino, las suplimos con habilidad, como artesanos.

Nuestros músculos pueden no levantar grandes pesos, pero son capaces de resistir año con año los movimientos cotidianos de nuestro cuerpo, prueba de ello es que estamos aquí.

Tenemos mala digestión, pero disfrutamos mejor los platillos; si sabemos comer, cada comida será un banquete. Nuestro corazón late menos fuerte, pero siente más y mejor.

Nuestros sentimientos, nuestros amores, son firmes y nobles.

Por eso y por muchas razones quiero celebrar los primeros cincuenta años de la vida.

Cada día, cada momento, vale la pena vivirse.

María Teresa F. de Ortega
Sabinas, Coahuila

CONTRA LA SOLEDAD

Contra la soledad
está la noche,
la bóveda estelar
y su alto brillo.

¡No hay soledad capaz
de algún reproche
cuando la luz
arroja su estallido!

Contra la soledad que hiere y mata,
contra la soledad que grita y huye...
¡Está la soledad
que canta y canta...!
¡Está la soledad
que reconstruye...!

Contra la soledad
está una copa
brindándole el amor
su mejor vino...
¡ése que no te mancha ni la ropa,
ni la reputación
ni el humor fino!

Contra la soledad
está el recuerdo
que te devuelve imágenes
y aromas...

¡No hay soledad
que ponga desacuerdo
a la paz de una mística paloma!

Contra la soledad
están los besos,
la instancia más sutil de la caricia...

Contra la soledad
que es un abismo
que parece tragarse al mundo entero...

¡Contra esa soledad
estás tú mismo,
y Dios en tu interior,
como escudero!

JOSÉ LUIS ALMADA
Querétaro, Querétaro

DIOS LAS BENDIGA

Dios bendiga a todas
las mujeres que me han besado.
A mi madre linda
que me besó en la cuna,
a la que me besó tan sólo
con el pensamiento,
a la novia tenue
que me besó a la luz de la luna.
A la amante ardiente
que me quemó la boca
y a aquella otra mujer
que con pasión tan loca,
me dejó por siempre
tan lejos y olvidado.
Dios bendiga a todas
las mujeres que me han besado.

MANUEL GARAY PEZA
México, D.F.

ENTREGA Y OLVIDA

Si tienes a quien entregarle tu amor,
entrégaselo.

Si tienes a quien adorar,
adóralo.

Y si tienes a quien amar,
ámalo.

Pero si tienes a quien odiar,
olvídalo.

MARICELA GONZÁLEZ M.
Coacalco, Edo. de México

ES TAN HERMOSA LA VIDA

Qué bonito es recordar
nuestra vivencia pasada,
aunque a veces el dolor
nos haya estrujado el alma,
aunque tengamos recuerdos
que aún nos hagan llorar.

¡Es tan hermosa la vida!
Si tú sabes disfrutar
de un bonito amanecer,
del canto de un pajarito,
del aroma de una flor,
si has disfrutado un paisaje
o una puesta de sol.

¡Es tan hermosa la vida,
sabiéndola disfrutar!
¿Has dejado alguna vez
que esas lágrimas del cielo
se resbalen por tu cara
y te refresquen el alma?

¡Es tan hermosa la vida!
Pero nada se compara
con la sonrisa de un niño,
con una tierna caricia
de una manita inquieta;
un abrazo cariñoso
y un tímido ¡te quiero!
dicho con el corazón,
por un travieso angelito.

¡Es tan hermosa la vida!
Yo con los años que tengo
se puede decir que estoy
disfrutando del otoño
y quiero llegar a vivir
con la bendición de Dios
en un apacible invierno,
disfrutando de mis nietos
junto con mi compañero
de tantos y tantos años,
enseñando a nuestros nietos
que es mejor dar que recibir,
a aprender a perdonar,
a conservar a un amigo,
a no negar un saludo
y menos una sonrisa
al que pase a nuestro lado,
a dar mucho, mucho amor
y enseñarles a decir...

¡Es tan hermosa la vida!

MA. DE JESÚS DE DE LA PEÑA
Saltillo, Coahuila

ESO DE QUERER VIVIR

Eso de querer vivir
es más que fórmula mágica,
es fuerza que gana fuerzas,
sangre de Dios
en las venas,
flor
que aguardó las mañanas
para colorear sus pétalos!

Eso de querer vivir
es imán tan poderoso
que no hay metal más preciado
para pagarse el futuro,
ni alabanza más perpetua
a la altura de los ojos
de quien lo haya creado todo.

Eso de querer vivir,
es ejercicio del alma
que vuelve ágil la palabra
de gratitud y de gozo.

¡Pregúntale a quien presientas
que algo tiene de ese aliento...
... y tendrás como respuesta
una sonrisa del viento,
un esclavo liberado,
un conquistador de sueños,
un espíritu en levante
y un Dios amaneciendo!

José Luis Almada
Querétaro, Querétaro

ESO DE SER NIÑO

Eso de ser niño
me suena a luna de queso con agujeros,
a un ratón asomado por un hoyo
y yo persiguiéndolo.

Eso de ser niño
es dulce caído no lamentado mucho
por ser vuelto a recoger
y ser chupado con mayor delicia;
o hacer de tres gomas de mascar
una sola en la boca,
sacarla, estirarla, hacer piruetas con ella
y después volverla a mascar.

Eso de ser niño
me suena a tierra, a pasteles imaginarios;
a manos llenas de mugre chapoteando en éxtasis,
a revolcarse en el lodo para que la ropa quede
como prueba contundente
de una inminente pela.

Eso de ser niño
es húmedo, son barcos de papel
construidos en tardes de lluvia,
son chorros de canalejas que sientes
te parten la cabeza
o guerra de jicarazos.

Eso de ser niño
me suena a excursión;

a irte de pesca al río
o a cazar con resortera
y después, a media tarde,
comer la caza del día cocinada por mamá;
o irte a explorar los cerros
en busca de algún vestigio
de una civilización perdida.

Eso de ser niño
es, sabe, suena maravilloso,
se acaba y nunca se acaba,
se acaba y nunca se olvida.

LUZ TERESA SANDOVAL HERNÁNDEZ
San Jerónimo de Juárez, Guerrero

GRACIAS, MUJER

Gracias, mujer
por ser la tierra fértil
que germina la semilla,
y la riegas con tu amor
y a la postre das la vida.

Porque sin ti el arco iris
no tendría color alguno,
y el canto de las aves
no se escucharía en junio.

Gracias, mujer
porque eres Madre, porque eres novia,
por ser esposa, por ser amante,
porque eres compañera eterna
del amor que te idolatra,
porque orientas con mano sabia
al vástago que recorre ansias,
porque apoyas con firmeza
al hombre que a ratos desmaya.

Gracias, mujer
por esos bellos momentos,
por esas noches de idilio
sin condiciones ni sosiego,
por esos momentos tristes
en que me das tu consuelo,
porque lloras en silencio
cuando sufro en mis desvelos.

Porque oculta va en tu alma
una angélical pureza,
porque guardas el rosario
que por mis pecados rezas,
porque tú me diste luz
en mi obscuridad vacía,
porque sin ti y sin tu amor
mi vida no existiría.

MATEO LOZANO JIMÉNEZ
Cuautitlán Izcalli, Edo. de México

FIN DE AÑO

Hoy es el último día del año y en el minuto final
cuando ya todos se encuentran reunidos para dar
el primer abrazo, la primera sonrisa de felicidad,
las doce campanadas se escucharán.

Ya están las doce uvas para pedir doce buenos deseos
que queremos cumplir:
La primera pidiendo a Dios que a nuestro lado siempre esté.
La segunda por la salud conservar.
La tercera deseando el amor que soñamos encontrar.
La cuarta por la felicidad, que se quede en nuestros corazones.
La quinta pidiendo que la fe nos ilumine en nuestro caminar.
La sexta por la esperanza de cada día ser mejores.
La séptima deseando la hermandad de toda la humanidad.
La octava pidiendo que la paz no nos vaya a abandonar.
La novena deseando la libertad no perder jamás y que los
que no la tienen la puedan recuperar.
La décima pidiendo que la platita no nos vaya a faltar.
La onceava por la amistad, no perder los amigos y ganar cada
día más.
Y la doceava deseando los sueños se lleguen a realizar.
Y al fin poder recibir el año
con salud en el alma y el cuerpo, algo de dinero en
el bolsillo y mucho amor en el corazón.

ROSA MARÍA HILL
Guadalajara, Jalisco

LA FLECHA

Mi vida: la flecha de un arco
que no supe utilizar.
Flecha sin un blanco. ¿En dónde?
¿En dónde irá a parar?
El viento no contesta
y la avienta sin piedad.

Flecha del viento
sin destino, ni camino.
Flecha de un arco
que no supe utilizar.
Fui muy tonta en disparar
sin antes apuntar.

Ten paciencia flecha mía
que el camino ya dirá
a que blanco hay que llegar.

Ten paciencia flecha mía
que el mismo viento
ha de impulsar
tu etérea presencia
adonde debas llegar.

GRETA
México, D.F.

MI BOLSO

¡Ah! el bolso de Anabella es tan peculiar
y guarda tantas cosas como el mejor bazar,
a todos les divierte reír a sus costillas
y de todo te encuentras, del fondo hasta la orilla.

Un llavero, un peine, un espejo
y selecciono todo y algunas cosas dejo:
un barniz de uñas, lápiz labial y crema
y para direcciones una libreta buena.

Empalmes, cuentas, notas y del pago boletas,
la lista de pendientes anoto cada día,
que nada le confío a la memoria mía.

La chequera acompaña todos los cachivaches.
Con todo lo que cargo llenaría tres baches,
eso sí, lo más raro del mundo, a veces me lo piden
y lo saco del bolso... y comentan... y ríen.

Pastillas, un pañuelo y varias credenciales,
un chicle, un casete, chochos medicinales
y la suplente de un arma por demás peligrosa,
una pluma que firma la compra de las cosas.

Ya ni un suspiro cabe en mi sufrido bolso,
porque si me descuido me va a quebrar el torso,
sólo me gustaría guardar lo que yo quiero,
lo que quiero guardar... ¡Son kilos de dinero!

ANABELLA CASSALE "GAVIOTA"
Aguascalientes, Aguascalientes

MUÑECA INDIA

Una muñeca de trapo
hecha por una niña indígena de mi País
me sonríe desde la penumbra
de un rincón de mi cuarto,
donde escribo,
para que me lean mis compatriotas,
menos los que hacen las muñecas de trapo,
porque ellos no saben leer.

Me consuela pensar
que soy tan elitista e intranscendente
como lo son los grandes poetas.
Y es que mi canto enmudece en el papel,
se ahoga en la tinta:
no sabe volar.

En cambio, los indios de mi Patria
aprenden el idioma verídico del viento
materno de la tierra y claro del sol.

Su poesía es lúcida y mágica,
que se transporta por contacto
de piel a piel;
que entra por los ojos
hasta la medula del alma
que hermana las razas
con el lenguaje anterior a la palabra,
idioma gesticular y sensual del cuerpo.

Poesía semilla,
poesía-vida,
poesía-universal,
poesía del hombre para los hombres,
poesía muralla que lo mantiene alejado
de voces bárbaras, que pretenden
exterminarlo.

El indio es territorio
ilegalmente ocupado
por una civilización tiránica
que lo dobla pero no lo quiebra.

Los pueblos indios del Mundo
esperan tiempos mejores,
de justicia y libertad para su gente.

Mientras eso sucede
aman a la luz de la luna,
hablan con sus dioses morenos
y afilan pacientemente
el pedernal de la venganza.

Acostumbrado al canto omnipresente
de la naturaleza,
es comprensible que no escuchen
la voz distante de un poeta,
cuando escribe sobre el indio analfabeta
de su País.

Después de oír toda esta palabrería insulsa,
mi muñeca de trapo
se ríe de mí,
desde el rincón del cuarto donde escribo,
para que me lean todos mis compatriotas,
menos los que hacen las muñecas,
porque ellos no saben leer.

Carlos López Moctezuma
México, D.F.

PREGÓN ALUCINANTE

Amo la vida: perpetua llama
que todo lo abraza y lo transforma.

La que me alienta a mí,
la de los otros hombres,
¡la que envuelve de júbilo a todo el universo!

Amo la vida útil,
la siempre matutina,
devota del esfuerzo,
alfarera de triunfos.

La vida estremecida de inquietudes creadoras.
La que no quiere que pase simplemente
como pasa corriendo cualquier cosa.

La que levanta sus banderas
y suelta sus pájaros al viento,
por encima de la vieja hojarasca
de todas las mediocridades.
Los mediocres ofenden y degradan la existencia.

Amo la vida que se vive
apasionadamente,
minuto tras minuto,
en la dura o ligera tarea que nos designa.

La que se vive
con elegancia de espíritu,
a pesar de infortunios y de lágrimas.

La vida intransigente a la mentira, la arrogancia,
lo vulgar y lo frívolo.

La que le sirve al hombre
para alzar sus montañas,
alumbrar sus caminos
y sacudir conciencias.

Te amo, vida
y ante el espejo infinito de tus maravillas,
tengo que clamar con voz doliente,
pero voz agradecida:

¡Qué lástima que tenga que morir algún día.
Y abandonarlo todo..., todo...,
definitivamente todo!

Y cuando llegue aquel momento,
sólo una frase, la final, pronunciarán mis labios:

¡Gracias, Señor, porque pusiste en mí
el amor y los cantos!
¡La eterna poesía!

¡¡Gracias..., porque me diste
la gran oportunidad
de haber vivido!!

LIC. ALFREDO BORBOA REYES
Temascaltepec, Edo. de México

El individuo no es diferente de la sociedad.
La sociedad sólo es la extensión de nosotros
mismos como individuos.

Lo que somos individualmente, eso es la sociedad.
Si somos corruptos, inconscientes de nuestra dignidad,
la sociedad será corrupta e indigna igualmente.
La sociedad es fuente de reproducción,
pero es el individuo
la única fuente de acción transformadora.

Decir que para que cambie el individuo
es indispensable que cambie primero la sociedad, es
justificar nuestra pasividad, renunciar a la única
forma de cambio verdadero y entrar en complicidad con
la sociedad que supuestamente criticamos.

Puede haber agua sin peces y pueblos sin tiranos,
pero no peces sin agua ni tiranos sin pueblo.

HILARIO

YO

¡Ya no quiero más!
Porque el querer es muy pobre.
Ahora tomo, tomo lo que es mío.
¿Y sabes qué es mío?
Lo que alcanzo.
Sé que, en este Universo, esto se oye mal;
pero yo estoy muy por encima de este Universo;
ya no toco la tierra,
ahora la siento.
Ya no respiro el aire,
ni aspiro la vida,
ni quiero ser libre.
Ahora soy aire y el aire es vida
y la vida es libre.

No, hermano, el querer es muy pobre,
y es pobre porque si quieres
es que crees que no tienes,
y si crees que no tienes, es porque
no sabes quién eres.

¡Y YO SÉ QUIÉN SOY!

Y jamás miraré hacia abajo,
pues aunque un día lo olvidé

Yo he sido Grande, Libre, Sabio,
y el saberse así es incompatible
con la bajeza.
¿Sabes algo, hermano?

HOY HE HABLADO POR TODOS.

RICARDO GARCÍA OLIVARES
Juriquilla, Querétaro

Versos y comentarios

Esta edición de 2,000 ejemplares se imprimió
en febrero de 1997, en Diseño Editorial, S.A.
de C.V., Bismark 20, 03510 México, D.F.